[v2対応] 改訂新版

micro:bit であそぼう！
マイクロビット

たのしい電子工作&プログラミング

対象：小学生以上

高松基広／著

技術評論社

【ご注意】購入・利用の前に必ずお読みください

- 本書に記載された内容は、情報の提供のみを目的としています。したがって、本書の記述に従った運用は、必ずお客様ご自身の責任と判断によって行ってください。これらの情報の運用の結果について、技術評論社および著者は、如何なる責任も負いません。

- 本書に記載の情報は2022年1月現在のものを掲載していますので、ご利用時には変更されている場合もあります。また、ソフトウェアに関する記述は、特に断わりのない限り、2022年1月現在でのバージョンをもとにしています。ソフトウェアはバージョンアップされることがあり、その結果、本書での説明とは機能内容や画面図などが異なってしまうこともあり得ますので、ご了承ください。

- 掲載されているプログラムおよび工作の実行結果につきましては、万一、障碍等が発生しても、技術評論社および著者は一切の責任を負いません。

- 以上の注意事項をご承諾いただいた上で、本書をご利用願います。これらの注意事項をお読みいただかずにお問い合わせをいただいても、技術評論社および著者は対処しかねます。あらかじめご承知おきください。

- 本文中に記載されている会社名、製品名は、すべて関係各社の商標または登録商標です。

はじめに

●子どもたちへ

「プログラミングの醍醐味」って知っていますか？ 私は「思い通りに動いた瞬間」と「人々の笑顔が見れた瞬間」だと思っています。

micro:bitは、パソコンの中の世界から飛び出し、現実世界で身の回りの課題を解決し、家族や友達を笑顔にする力を持っています。全てはアイデア次第です。周りの人がアッと驚くようなたのしい作品をいっぱい作ってください！

●保護者の方へ

本書は「micro:bitを手にした子どもたちが、できるだけ身の回りの物や100円ショップの物で遊び倒せる本」として執筆させていただきました。

ただ、お子様に渡すmicro:bitのバージョンがv2より前の場合（**見分け方はp.9参照**）は、音を出す作品についてはスピーカー環境（**p.13参照**）のご用意もお願いします。

また、後半は、いくつかネット上で販売されている製品を使っている作品が登場します。各作品の「用意する物」をご覧いただき、サポートしていただければ幸いです。

●先生方へ

全世界で500万個以上が販売され、各国の教育現場で使われているmicro:bitですが、日本ではまだあまり活用されていません。日本でも多くの子どもたちに「こんなふうに制御ってできるんだ」「こんなふうに計測ってできるんだ」「こんなふうにIoTってできるんだ」という引き出しを持ってもらいたいと思っています。

そのためにはまず「教育現場の先生方のサポートをしなければ」ということで、私のDIYブランドTFabWorks (https://tfabworks.com/) を通じて、先生方向けの研修会を行っています。micro:bitの使い方でお困りの先生、TFabWorksのお問い合わせフォームより、お気軽にお問い合わせください。

●謝辞

2017年9月。恐らく初めて日本での子供向けmicro:bit解説本『micro:bitであそぼう♪』をKindleで出版させていただいたところ「紙の本で出版してほしい」と多くの声をいただきました。そんな中、技術評論社の佐藤丈樹様よりお声がけをいただき、初版の出版へとつながった次第です。

本書の執筆にあたり、技術評論社の皆さん、Bett Show 2018で取材対応していただいたマイクロビット財団の皆さん、ISTE2018で多くの質問に答えていただいたMIT Lab.の皆さん、アドバイスをくれたFacebookフレンドの皆さん、実践の機会をくれたCoderDojoの皆さん、そして協力してくれた家族と職場の皆さん、この場を借りてお礼を申し上げます。ありがとうございました！

2022年1月　高松 基広
ハンドル名 asondemita (Twitter, Qiita, hatena, YouTube他)

もくじ

第1部 micro:bitの基本

- micro:bitって何? ... 8
- micro:bitのセンサーについて ... 10
- 遊ぶために必要な物は? ... 12
- micro:bitの遊び方 ... 14

第2部 micro:bitの作例

- 簡単01 相性占い ... 26
- 簡単02 暗くなったらお化け登場 ... 30
- 簡単03 体感温度を表現しよう ... 34
- 簡単04 お返事ロボット ... 38
- 簡単05 素振りカウンター ... 42
- 簡単06 運動カウンター ... 46
- 簡単07 テルミン ... 50
- 簡単08 コンパス ... 54
- 簡単09 オルゴール ... 58
- 簡単10 冷蔵庫アラーム ... 62
- 簡単11 おたまレース ... 66
- 簡単12 公園一周の距離を計測 ... 70

簡単 13	公園一周の時間を計測	74
簡単 14	暗くなると光るサインボード	78
簡単 15	当たり付き貯金箱	82
簡単 16	イライラゲーム	86
応用 17	バランスボード	90
応用 18	もぐら叩きゲーム	94
通信 19	ハートのキャッチボール	98
通信 20	防犯装置で侵入者を検知	102
通信 21	モールス通信機を作ろう	106
通信 22	早押しクイズボタンで対決	110
通信 23	宝探しをしよう	114
通信 24	的に当たったら通知する装置	118
通信 25	雨が降ったら通知してくれる装置	122
通信 26	シューティング対戦ゲーム	126
上級 27	栽培ロボットを作ろう	130
上級 28	温度変化などのセンサーデータをグラフにしよう	134
上級 29	イルミネーションランタン	138
上級 30	サーボモーターを制御しよう	142
上級 31	Scratch連携：画面の花に水をあげよう	146
上級 32	Scratch連携：AIでゴミの自動分別装置を作ろう	154

本書の読み方

第1部 micro:bitの基本

micro:bitを使うのが初めてなら、本書の第1部に一通り目を通しておきましょう。チュートリアル『micro:bitの遊び方』(→ p.14) を一回やっておけば、micro:bitの基本的な操作はつかめるでしょう。

第2部 micro:bitの作例

簡単に作れるものから難度の高い上級の作例まで、全部で32作品の作り方を解説しています。

使用するmicro:bitの機能をまとめています。機能の分類は以下の通りです。

- LED
- ボタン
- 明るさセンサー
- 温度センサー
- 加速度センサー
- 地磁気センサー
- 音量センサー
- スピーカー
- 無線
- 入出力端子

「v2専用」「v1はスピーカー必要」など、注意が必要な作例にはアイコンが入ります。

作例の完成形と内容を紹介しています。

工作に必要な物をまとめています。

作例を、作りやすさと使う機能の点から、簡単・応用・通信・上級の4つに大きく分けています。

具体的な作り方をステップ形式で解説します。

同じプログラムを公開しているURLです。

作例を発展させるためのアイデアを紹介しています。

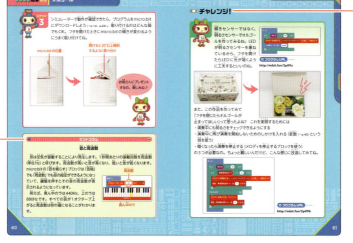

作例に関連したお役立ちコラムです。

キャラクター紹介

ビットくん — 電子工作が大好きな、アイデアあふれる発明家

マイちゃん — ビット君の横で的確なアドバイスを出してくれる、教え上手

第1部 micro:bitの基本

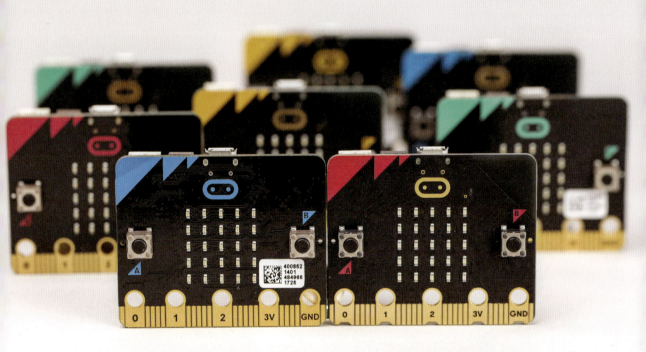

micro:bitの構造・センサーのしくみ・用意する物・micro:bitの遊び方について解説します。

micro:bitって何?

【本書で使用する環境】

micro:bitは、とても多くの開発環境・開発言語が提供されています。
本書ではとくに断わりがない場合、以下の環境を前提に解説をしています。

- **micro:bitのバージョン**：v1、v2（以降、本書ではこの表記で本体を示します。バージョンの確認方法は右下図（裏側）を参照してください）
- **パソコン**：Windows、Chromebook、Mac、Raspberry Pi（インターネットに接続していること）
- **micro:bitと端末の接続方法**：USBケーブルによる接続
- **使用ブラウザ**：Google Chrome、Microsoft Edge (Chromium版)
- **開発環境**：Microsoft MakeCode for micro:bit v4
- **開発言語**：ブロックを使ったビジュアルプログラミング
- **ダウンロード方法**：ブラウザーからmicro:bitに直接ダウンロード

micro:bitはイギリス発の小さなコンピューター！

　micro:bit（マイクロビット）は、イギリスの公共放送局BBCが中心となって開発した、小さなコンピューターです。とても小さな本体に、ボタンやLED、各種センサー、無線など、たくさんの機能が詰め込まれています。

　半田ごてやブレッドボードを使うことなく、子供から大人まで簡単に電子工作を楽しむことができます。

プログラミングはブロックを組み立てるだけ！

　『Microsoft MakeCode for micro:bit（以下MakeCode）』は、ブラウザーで専用サイト (https://makecode.microbit.org/) を開くだけでプログラムを作ることができます。開発用ソフトウェアのインストールは一切不要です。プログラミングは、ドラッグ&ドロップでブロックを組み立てるだけなので、簡単にマスターすることができます。

micro:bitの各部はこうなっている！

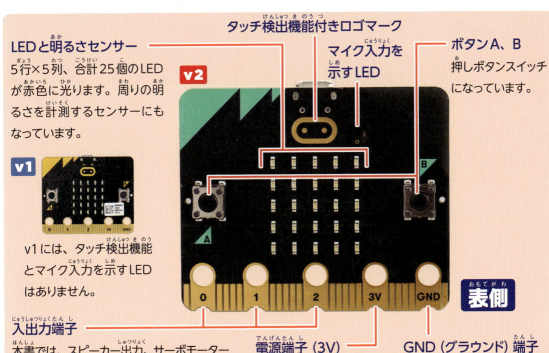

LEDと明るさセンサー
5行×5列、合計25個のLEDが赤色に光ります。周りの明るさを計測するセンサーにもなっています。

タッチ検出機能付きロゴマーク

マイク入力を示すLED

ボタンA、B
押しボタンスイッチになっています。

v1 には、タッチ検出機能とマイク入力を示すLEDはありません。

入出力端子
本書では、スピーカー出力、サーボモーター制御、アナログ入力として使用しています。

電源端子（3V）
3Vの電源端子です。

GND（グラウンド）端子
電気の戻り口になっています。

表側

無線アンテナ
Bluetooth（BLE）用のアンテナです。

USBコネクター
マイクロUSBケーブルでパソコンと接続します。

リセットボタン
実行しているプログラムをリセットできます。

プロセッサーと温度センサー
作ったプログラムはこのプロセッサー上で処理が行われます。また、プロセッサーに搭載されている温度センサーで、温度を計測します。

電池ボックス用コネクター
電池ボックスをつなげば持ち運びしやすくなります。

スピーカー

バージョン情報

v1 には、マイクとスピーカーはありません。

地磁気センサー
方角や磁力を計測します。

加速度センサー
傾きや速度の変化を計測します。

マイク（音量センサー）
音の大きさを計測します。

裏側

micro:bitのセンサーについて

micro:bitには多くのセンサーが搭載されています。

明るさセンサー　micro:bitの表側に並んだLEDが明るさセンサーも兼ねています。例えば、明るさセンサーを手で覆ったり、LEDライトを当てたときの明るさの変化をプログラムで判定することができます。

明るさの変化を感知

温度センサー　裏側にあるプロセッサーの中に温度センサーが入っています。例えば、手で温めたときの温度の変化をプログラムで判定することができます。

  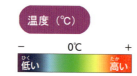

計測されるのはプロセッサーの温度なので、室温より少し高くなります。

加速度センサー　micro:bit自体の傾き（前後の傾き＝ピッチ、左右の傾き＝ロール）を計測することができます。またmicro:bit自体を揺らしたり、落としたときの速度の変化（加速度）を計測することができます。

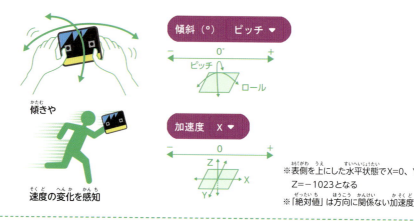

傾きや
速度の変化を感知

※表側を上にした水平状態でX=0、Y=0、Z=−1023となる
※「絶対値」は方向に関係ない加速度

音量センサー（v2のみ）　裏側にあるマイクを使い、音量を計測することができます。

タッチセンサー (v2のみ)	ロゴが「短くタップされた」「タッチされた」「タッチがなくなった」「長くタップされた」を検出することができます。 
地磁気センサー	地球の磁場から方角を計測することができます。北を探るコンパスを思い浮かべればよいでしょう。また、磁石を近づけたときにかかる磁力（単位：マイクロテスラ）を計測することもできます。

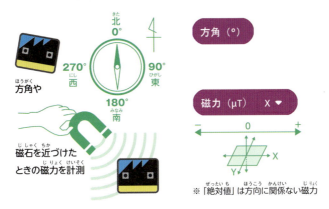

地磁気センサーを使用するには、最初に校正（キャリブレーション）が必要になります。「方角」や「磁力」のブロックを使ったプログラムをmicro:bitで実行すると、始めに、LEDに「TILT TO FILL SCREEN」という表示が流れ、傾きに合わせて動く点が表示されます。この点をスクリーンを満たすように動かすと、スマイルマークが表示されます。これは校正が完了したことを示す合図です。

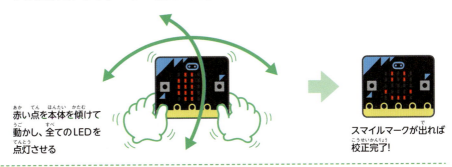

赤い点を本体を傾けて動かし、全てのLEDを点灯させる

スマイルマークが出れば校正完了！

ビットコラム

センサーの値は必ずしも同じにならない

センサーの値は、周りの環境やmicro:bitによって値が異なることがあります。そのため、この本に登場するプログラムの通りでは動かないケースがあります。この場合は判定する値を環境に合わせて調整してみてください。自分の環境で「センサーがどんな値になるのか確認したい」場合は、ビットコラム「各センサーの値を調べてみよう（→p.33）」を参照してください。

遊ぶために必要な物は？

遊ぶには、以下の３つを用意しましょう。

・インターネットに接続したパソコン
・USBケーブル（コネクター形状はA-microB）
・micro:bit本体

電池ボックスがあると便利！

　micro:bitは、USBケーブルでパソコンと接続するだけで電源が供給され動作しますが、離れた場所へ持っていくことはできません。電池ボックスを使うと、プログラムをダウンロードしたあと、USBケーブルを抜いても、動作します。電池ボックスを使って、いろんな場所で動作できるようにしましょう。おすすめは、オン・オフが簡単にできる、スイッチ付き電池ボックスです。「micro:bit　電池ボックス」で検索してみてください。他には、100円ショップで購入できる、乾電池使用タイプのスマホ用充電器を使う方法もあります。この場合は電池ボックス用コネクターではなく、USBコネクターからの電源供給となります。セリアでは「USB Charger」、ダイソーでは「電池式モバイルバッテリー」という名前で販売されています。なお、リチウムイオンバッテリーを使ったスマートフォン用充電器はmicro:bitには使えない物が多いので注意が必要です。

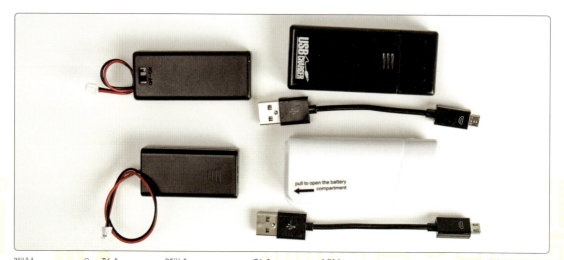

左上がスイッチ付き電池ボックス、左下がスイッチなし電池ボックス、右上がセリアの「USB Charger」、右下がダイソーの「電池式モバイルバッテリー」

v1で音を出すには？

　v1にはスピーカーが搭載されていません。v1で、音を出したりメロディを演奏するには、別途スピーカーやイヤホンを用意して、入出力端子の0番とGNDに接続します。

　接続には、両端にワニ口（ミノムシ）クリップがついたケーブルが必要です。ホームセンターやオンラインショップで購入できます。

　スピーカーやイヤホンは、右下の写真のように接続します。

　このケーブルは、第2部で紹介している作例中でよく使用します。用意しておきましょう。

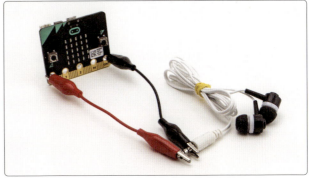

　また、オンラインショップ（Amazonなど）では、v1専用のスピーカーも販売されています。ケーブルが不要になるので便利です。「micro:bit　スピーカー」で検索してみてください。

micro:bitの遊び方

ここからは僕が説明するね。MakeCodeを使って遊ぶ手順は以下の通りだよ。

事前準備

1. パソコンとmicro:bitをUSBケーブルで接続
2. MakeCodeにアクセスしてプロジェクトを作成
3. micro:bitに直接ダウンロードするように変更

プログラミング＆動作確認

4. ブロックを組み立ててプログラムを作成
5. シミュレーターで動作を確認
6. プログラムをmicro:bitにダウンロード
7. micro:bitで動作を確認

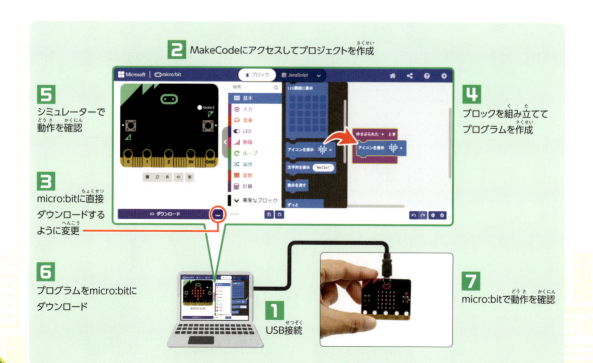

1 パソコンとmicro:bitをUSBケーブルで接続

プログラムをmicro:bitにダウンロードするために、micro:bitとパソコンをUSBケーブルで接続するよ。
micro:bitを購入後に初めて接続すると、LEDがさまざまに光るけど、これはデモプログラムが動いている状態で、正常な動作だよ。
v2だと、音が鳴るけど驚かないでね。

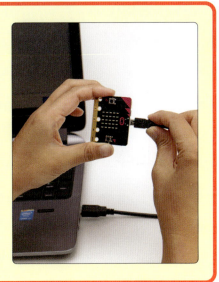

2 MakeCodeにアクセスしてプロジェクトを作成

ブラウザーを使って「makecode」で検索したら「Microsoft MakeCode for micro:bit」をクリックしてね（もしくはhttps://makecode.microbit.org/を手で入力してアクセス）。下のような画面（ホーム画面）が表示されたら「新しいプロジェクト」をクリック。続けて、プロジェクトの名前を入力（省略可）して「作成」をクリックするよ。

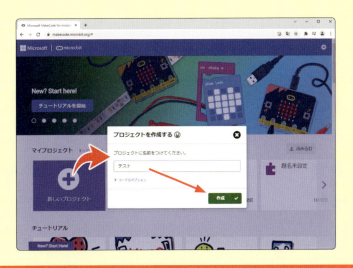

第1部 micro:bitの基本

シミュレーター
プログラムが思ったとおりに動作するかを、画面で確認することができます。

ワークスペース
ここでブロックを組み立ててプログラムを作成します。

ホーム
新しいプログラムを作ったり、過去のプログラムを呼び出したりします。

拡張機能を追加するなど、さまざまな設定ができます。

プログラムを他の人に見せるときに使います。

ツールボックス
プログラムに使うブロックがまとめられています。

現在のダウンロード先

プログラムをダウンロードします。

ダウンロード方法の切り替え

プログラムに名前をつけます。

操作を戻したり、また進めたりします。

表示を拡大したり縮小したりします。

MakeCodeの画面は上部と下部のメニューを除くと、大きく3つの画面に分かれているよ。、左側が「シミュレーター」、真ん中が「ツールボックス」、右側が「ワークスペース」だよ。また、ダウンロードボタンのアイコンは現在のダウンロード先を示しているんだ。この本ではブラウザーから直接ダウンロードする方法で説明するよ。

 パソコンにダウンロード

 USB接続しているmicro:bitにブラウザーから直接ダウンロード

３ micro:bitに直接ダウンロードするように変更

ダウンロードボタンが

| ダウンロード |

の形になっている場合はプログラムのダウンロード先がパソコンになっているんだ。以下の手順で、micro:bitに直接ダウンロードする

| ダウンロード |

ボタンに変更しよう。

同じmicro:bitなら一度だけ行えばいいのよ。

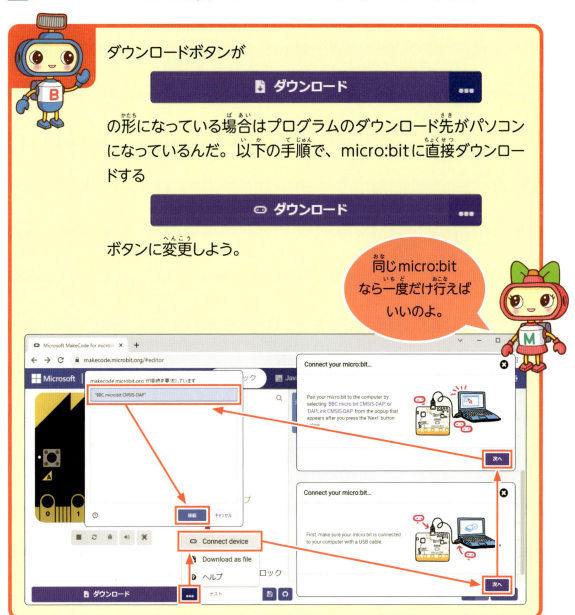

ビットコラム

2018年以前に製造されたmicro:bitはこの機能に対応していないケースがあります。この場合は、ファームウェアをアップデートすれば問題なく利用が可能となります。詳細は下記URLを参照してください。

URL : https://makecode.microbit.org/device/usb/webusb/troubleshoot

第1部　micro:bitの基本

4 ブロックを組み立ててプログラムを作成

加速度センサーとLEDを使って「ゆさぶったらハートを表示」するプログラムを実際に作ってみよう！

ゆさぶると…

ハートが表示された！

完成！

目指すプログラムの完成形はこれ！

今から組み立てるプログラムはこれだよ！

たった2種類のブロックだけで動くのね。

目的のブロックを探して、組み立てよう

ツールボックスから前ページ下の完成形で使っているブロックを探してね。ブロックが見つかったら、ドラッグ&ドロップでワークスペースに持ってきて、これと同じになるように組み立てるよ。ブロックどうしをつなげるときは、出っ張りとへこみを合わせるんだ。

●ブロックの場所

●組み立て方

ブロックがうまくはまると「カチッ!」って音がするのね。

「色が同じ」と覚えておけば、すぐ見つけられるのよ。

第1部 micro:bitの基本

ビットコラム
ブロック組み立ての操作あれこれ

● **ブロックの意味を知りたいときは?**
ブロックの上にマウスカーソルを持っていてそのまま待つと、説明が表示されます。

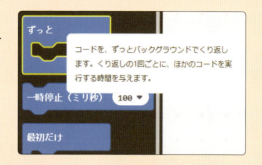

● **ブロックを削除するには?**
削除したいブロックを、ツールボックスまでドラッグ&ドロップすればOKです。

削除するときには、ツールボックスがゴミ箱表示になる

● **同じ色のところに、目的のブロックが見つからない?**
「その他」のところを探しましょう。

● **ブロックの複製のしかた**
同じブロックを何度も使うときに便利なのが複製機能です。ワークスペースにあるブロックをマウスの右ボタンでクリックすると「複製する」というメニューが現れます。

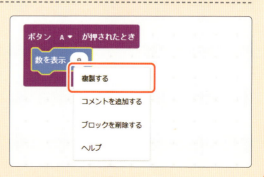

5 シミュレーターで動作を確認

プログラムが完成したら、動作を確認をするよ。画面左のシミュレーターを使うんだ。●SHAKEって文字の「●」をクリックすると、micro:bit本体をゆさぶったことになるよ。
うまく動かなかったときは、プログラムを見直してみよう。

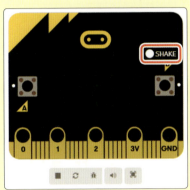
「●」をクリックすると…

ハートが表示されるよ！

ビットコラム

シミュレーターの操作画面

「ゆさぶられたら」ブロックを使ったら自動的に「●SHAKE」という文字が現れたように、センサー関連のブロックをプログラムで使用すると、シミュレーター上で、センサーに効果を与えたり、計測値を変化させることができます。シミュレーターの下にあるボタンの意味は、以下の通りです。

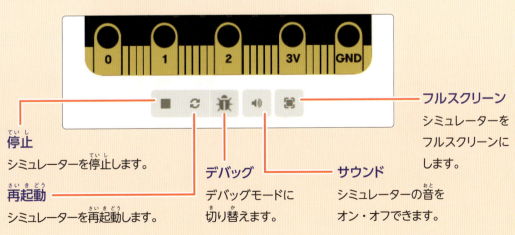

停止
シミュレーターを停止します。

再起動
シミュレーターを再起動します。

デバッグ
デバッグモードに切り替えます。

サウンド
シミュレーターの音をオン・オフできます。

フルスクリーン
シミュレーターをフルスクリーンにします。

第1部　micro:bitの基本

6 プログラムを micro:bit にダウンロード

ダウンロードボタンのアイコンが ▭ のマークになっていることを確認して、ダウンロードボタンをクリックしよう。ボタンの表示がぐるぐる回ったあと、元に戻ったら完了だよ。

ビットコラム

いくつもブラウザーのタブを開いて作業をしていると、ダウンロードに失敗することがあります。この場合は一度、USBケーブルを抜き差ししてみてください。

7 micro:bit で動作を確認

本体でも動くか試してみよう。シミュレーターのときと、まったく同じ動作になったかな?

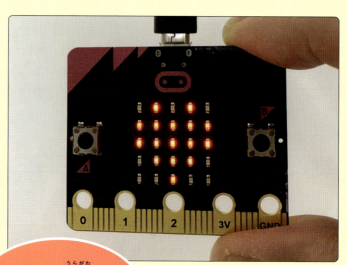

micro:bitの裏側にあるリセットボタンを押せば何度でも試せるのよ。

改造してみよう

各ブロックの▼をクリックすると他のアクションが選べるんだ。いろんなパターンを試してみてね。

プログラムを変更したら、もう一度ダウンロードボタンを押してね。

第2部では、センサーや身の回りにある道具を使った楽しい作品を紹介するよ。プログラムの作り方やダウンロードの方法は同じだから、ここで慣れておこう！

ビットコラム

チュートリアル・サンプルプロジェクト

MakeCodeのホーム画面では楽しいチュートリアル（操作方法を覚えるための教材）やプロジェクトがいっぱい並んでいます。2022年1月現在、日本語化されていない状況ですが、よかったらチャレンジしてみてください。

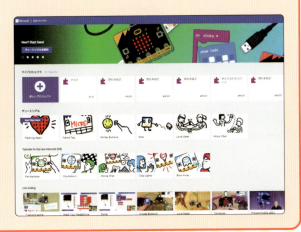

第1部 micro:bitの基本

第2部
micro:bitの作例

作例を、作りやすさと使う機能の点から簡単・応用・通信・上級の4つに大きく分け、全部で32作品の作り方をステップ形式で解説します。

簡単 01 相性占い

使う機能　LED　ボタン

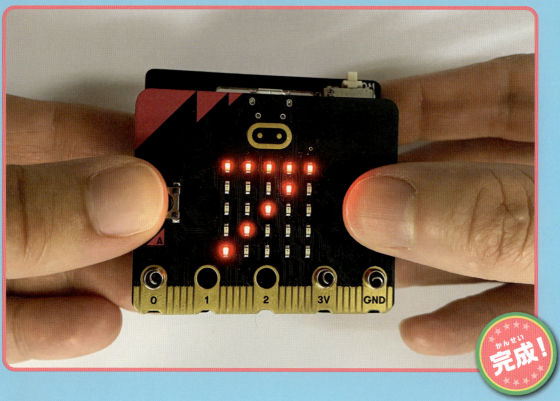

相性を占いたい人と手をつないで、ボタンAとボタンBを一緒に押してみよう！　10点満点で相性が占えるよ。

用意する物

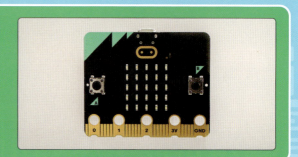

micro:bit

作ってみよう！

ステップ 1

新たにプログラムを作る場合は、ホームにある「新しいプロジェクト」をクリックしてスタートしてね。もし、ブロックを組み立てる画面が表示されている場合は、右上の「ホーム」をクリック。

新しいプロジェクトをクリック。

プロジェクトに名前をつけて作成をクリックしてね。

MakeCodeを使って遊ぶ手順は、第1部「micro:bitの遊び方(→p.14)」で紹介しているよ。わからなくなったらもう一度見てね。

27

簡単01　相性占い

ステップ2

占うたびに違う数字を表示するには「0から10までの乱数」ブロックを使うんだ。ツールボックスから、ブロックを探して同じように組み立てよう。「ボタンA＋Bが押されたとき」ブロックは、「ボタンAが押されたとき」ブロックで▼を押せば「A＋B」が現れるよ。

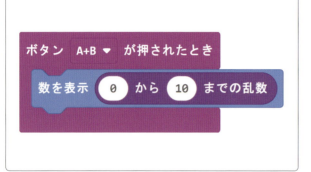

ブロックの組み立て方は、第1部「目的のブロックを探して、組み立てよう（→p.19）」で解説しているよ。

◆ プログラムURL ‥‥‥ http://mbit.fun/2p01

ステップ3

プログラムが完成したら画面左のシミュレーターで動作確認をしよう！「A＋B」をクリックするたびに違う点数が表示されるとOKだよ。

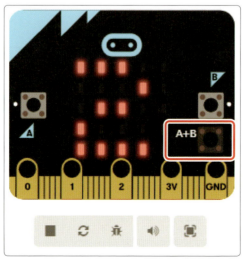

ステップ 4

シミュレーターで動作が確認できたら、プログラムをmicro:bitにダウンロードしよう(→p.14、22)。友だちや家族と、一人がボタンA、もう一人がボタンBを担当して「いっせいのせっ!」でボタンを押してみよう。0~10の数字が表示されれば完成だよ。10点満点で相性は何点になるかな?

●● チャレンジ!

7点より大きかったらハートマーク。でなければ、悲しい顔が表示されるプログラムに改造してみてね。

```
ボタン A+B が押されたとき
  もし  0 から 10 までの乱数 > 7  なら
    アイコンを表示 [♥]
  でなければ
    アイコンを表示 [:(]
```

プログラムURL …… http://mbit.fun/2p01a

簡単 02 暗くなったらお化け登場

使う機能 LED　明るさセンサー

部屋の明かりを消すと…

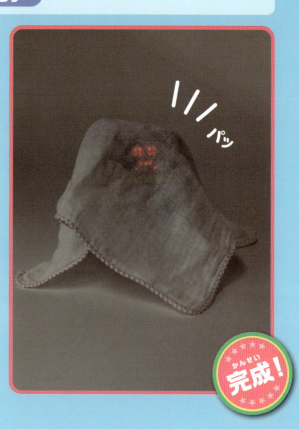

パッ

完成！

明るさセンサーを使って、暗くなったらお化けの顔があらわれる装置を作ってみよう！

用意する物

① micro:bit
② 電池ボックス（USBケーブルでも可）
③ ガーゼ（光を通す布ならなんでも可）
④ ねんど
⑤ ビニール袋

作ってみよう！

ステップ1

プログラムを作る前に「新しいプロジェクト(→p.27)」にしよう。これは「もし明るさが40より小さい(暗い)ならLEDにお化けの顔を表示。でなければ、表示を消す」プログラムなんだ。

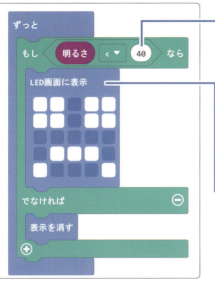

明るさセンサーは0～255の範囲の値を返します。この数字は部屋の明るさに合わせて調整してみてください。適切な値を調べる場合は、p.33のビットコラムを参照してください。

マウスでクリックして、お化けの顔を自由にデザインしましょう。白くなったところが点灯します。

⊕ プログラムURL ····· http://mbit.fun/2p02

ステップ2

シミュレーターで明るさの動作を確認する場合は、左上の丸の中の黄色い部分をマウスで動かすといいんだ。40より小さい数字にするとお化けの顔が表示されるかな？

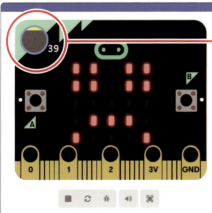

マウスで上下にドラッグして
数字を増減

40より小さくしたらちゃんとお化けの顔が表示されたね。

簡単02　暗くなったらお化け登場

ステップ3

シミュレーターで動作が確認できたら、プログラムをmicro:bitにダウンロードしよう（→p.14、p.22）。次に、micro:bitが汚れないように、ねんどをビニール袋に入れて、お化けの体を作ろう。最後にガーゼをかければできあがり！

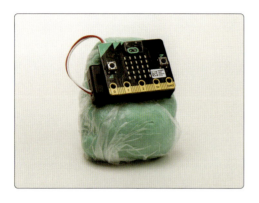

これ、ママの枕元においておいたらビックリするわね！

🔵⚫ チャレンジ！

「一時停止（ミリ秒）」というブロックと組み合わせればアニメーションもできるよ。いろんなアニメーションにチャレンジしよう。

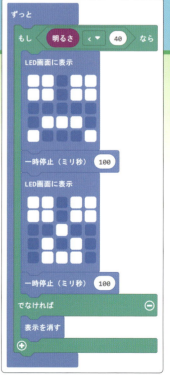

➕ **プログラムURL** ⋯⋯ http://mbit.fun/2p02a

ビットコラム

各センサーの値を調べてみよう

各センサーがどんなときに、どんな値になるのか、プログラムを作る前に感覚的に知っておくのは大切です。センサーの値を確認する方法を紹介します。

1. 右上のようなプログラムを作ります。「明るさ」ブロックのところは、調べたいセンサーのブロックを入れてください。
2. プログラムをmicro:bitにダウンロードします。
3. しばらく待つとシミュレーターの下に「コンソールを表示 デバイス」というボタンが現れます。ボタンをクリックすると右側にグラフが表示されます。micro:bitを明るくしたり暗くしたりして、値の変化を観察してください。

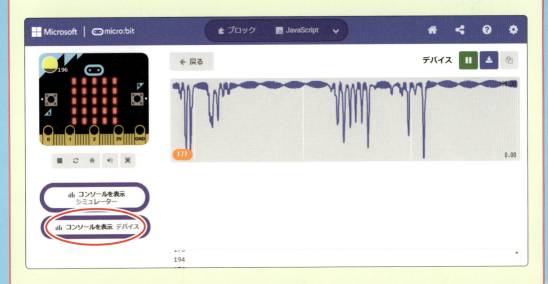

このMakeCodeのグラフを表示する機能は、リアルタイムにセンサーの値を観察するのには適していますが、長時間の観察にはあまり適していません。このようなケースについては「上級28 温度変化などのセンサーデータをグラフにしよう(→p.134)」で解説しています。

簡単 03 体感温度を表現しよう

使う機能　LED　温度センサー

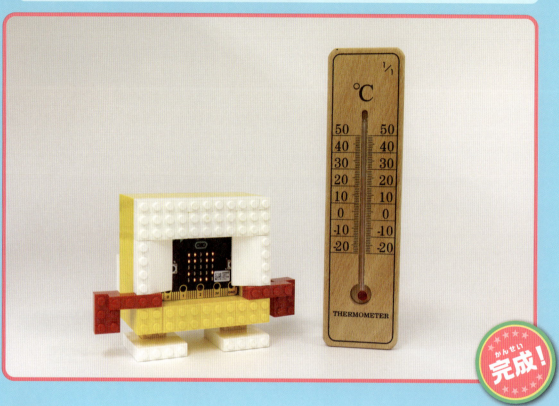

完成！

15度を境に表情が変わるロボットを作ってみよう。

用意する物

① micro:bit
② 電池ボックス（USBケーブルでも可）
③ ブロックやダンボールなど、ロボットを作るための材料

作ってみよう！

ステップ 1

プログラムを作る前に、「新しいプロジェクト（→p.27）」にしよう。このプログラムは、もし15℃以下なら寒そうな顔、そうでなければうれしそうな顔を表示するよ。これを5,000ミリ秒待ってから消すんだ。そして最後に温度を数で表示する、という内容だよ。

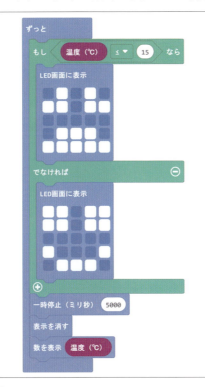

「ミリ秒」は1,000分の1秒、5,000ミリ秒は5秒のことね。

🔷 **プログラムURL** ····· http://mbit.fun/2p03

ステップ 2

プログラムができたら、シミュレーターの温度ゲージをマウスで上下させてみよう。15度を境に表情が変わるかな。

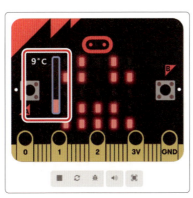
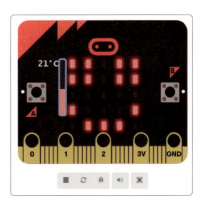

簡単03　体感温度を表現しよう

ステップ 3

シミュレーターで動作が確認できたら、プログラムをmicro:bitにダウンロードしよう（→p.14、p.22）。冷蔵庫やドライヤーを使って、micro:bit本体で動作を確認しよう。

ステップ 4

うまくmicro:bit本体で動くようになったら、仕上げとしてロボットの体を、ブロックやダンボールで作ってみよう！

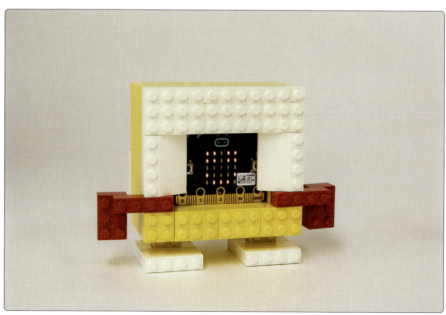

◉ チャレンジ！

いろんなところに置いて温度を計ってみてね。

・冷蔵庫の野菜室・冷凍庫の温度の違い
・日向と日陰の温度の違い
・家の中と外の温度の違い
・お風呂の温度（ジップロックなど、水が入らないビニール袋にしっかり入れて）

また、上級28（→p.134）でmicro:bitの通信機能を使って、離れたところの温度変化をグラフ化する方法を説明しているので、チャレンジしてみてね。

ビットコラム

温度センサーの値について

「温度」ブロックが返す値は、micro:bitのプログラムを処理するプロセッサーに搭載された温度センサーの値です。そのため、周りの温度より高めの値が返されます。

正確な温度が必要な場合は、外付けのセンサーを使います。

ビットコラム

micro:bitは電池2本でどのぐらい持つの？

この体感温度を表現するプログラムを、満タンに充電した充電式電池（エネループ、他）で動かした場合、連続稼働で2日以上持ちます。micro:bitはとっても省エネに作られています。

ただ、プログラムの作り方・入出力端子の利用・LEDの利用・気温などの条件で、電池の持ちは大きく変わります。micro:bit作品を夏休みの工作として学校に展示する場合は、事前に稼働時間を計測しておくとよいでしょう。

お返事ロボット

使う機能　LED　音量センサー　スピーカー

micro:bit v2の音量センサーを使って、話しかけられたら、micro:bitの声で「ハロー」と返事をするロボットを作るよ!

用意する物

micro:bit v2

作ってみよう！

ステップ 1

プログラムを作る前に「新しいプロジェクト(→p.27)」にしよう。このプログラムは、micro:bit v2の音量センサーを使って、音量が20より大きかったら口を開けた顔を表示して「ハロー」の音を鳴らすという内容だよ。

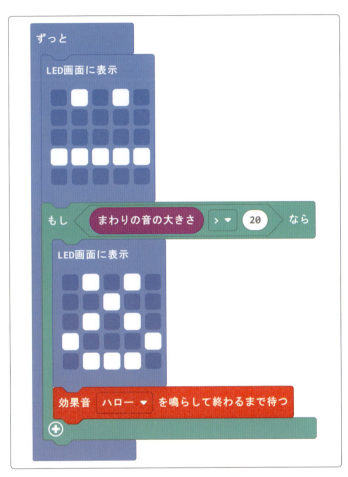

20という数字は、うまく反応するように調整してみてね。

 プログラムURL ····· http://mbit.fun/2p04

簡単04 お返事ロボット

ステップ 2

プログラムが完成したら、シミュレーターで確認しよう。
音量ゲージをマウスで上下して、20より大きな値になったとき、口が開いて「ハロー」の音が聞こえれば完成だよ。

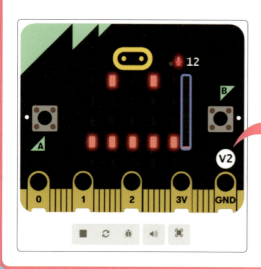 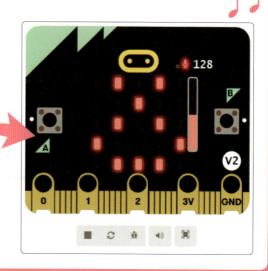

ステップ 3

シミュレーターで動作が確認できたら、プログラムをmicro:bitにダウンロードしよう（→p.14、p.22）。話しかけると返事が返ってくるかな？

アイコンの形や音を変えて遊んでみてね♪

💡 チャレンジ！

micro:bit v2から追加された機能としては、音量センサーの他に、micro:bitの金のロゴの部分がタッチ検出機能付きになったよ。さっき作ったプログラムに、タッチされたときに別の表情で別の声でしゃべる機能を追加してみてね。

この部分が、タッチ検出機能付きロゴマークになっています。

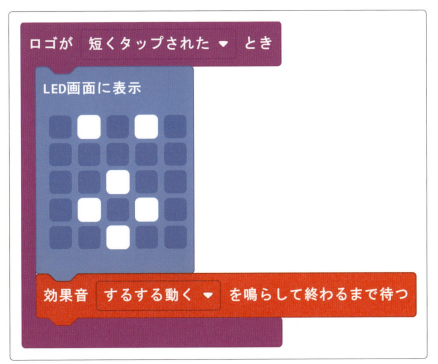

➕ プログラムURL ‥‥‥ http://mbit.fun/2p04a

簡単 05 素振りカウンター

使う機能　LED　加速度センサー

完成！

 バットやラケットの素振りをすると、少しずつLEDが点灯していって、100回で全灯するプログラムを作ろう。

用意する物

① micro:bit
② 電池ボックス
③ 透明なビニール袋
④ ビニールテープ

作ってみよう!

ステップ1

プログラムを作る前に「新しいプロジェクト(→p.27)」にしよう。このプログラムは「棒グラフを表示する」ブロックの最大値を100にして、回数が100になったらLEDが全灯するようにしたんだ。

現在の回数を記憶するために「変数」という技を使うよ。「変数」についてくわしくは、p.45のビットコラムを参考にしてね。「ゆさぶられたとき」のブロックの▼をクリックすると8Gが選べるよ。もし反応が鈍いようであれば、4Gにしてみてね。

⊕ プログラムURL ······ http://mbit.fun/2p05

ステップ2

プログラムが完成したら、シミュレーターで動作を確認しよう。シミュレーターでは8Gをシミュレートすることができないので、一時的に「ゆさぶられた」にしてSHAKEの●印を連打。LEDグラフの山が大きくなっていくかな?

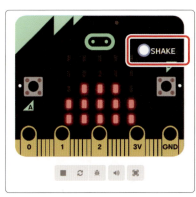

簡単 05 | 素振りカウンター

ステップ 3

シミュレーターで動作が確認できたら、8Gに戻して、プログラムをmicro:bitにダウンロードしよう（→p.14、22）。あとは電池ボックスを取り付け、ビニール袋に入れた状態でLEDが見えるようにビニールテープでしっかり固定すれば完成！　がんばって100回振ってみてね。

バットやラケットを振るときは、周囲の安全に気をつけてね。

100回振ると…

LEDが全灯！

ビットコラム

変数

　値を一時的に覚えておくための入れ物を、変数といいます。入れ物はいくつでも作ることができて、作るときに名前をつけます。

例.「回数」という名前の変数の作り方

1. 変数ブロックの「変数を追加する...」をクリック

2. 変数につける名前として「回数」と入力し「OK」をクリック

3. 「回数」という名前の変数が作成された

簡単 06 運動カウンター

使う機能 : LED / ボタン / 加速度センサー

完成！

簡単05（→p.42）ではバットやラケットに取り付けるカウンターを作ったけど、今度は体に付ける運動カウンターを作ってみよう！

用意する物

① micro:bit
② 電池ボックス
③ 古靴下
④ ハサミ
⑤ 定規

作ってみよう！

ステップ1

プログラムを作る前に「新しいプロジェクト(→p.27)」にしよう。このプログラムは「ゆさぶられたとき」ブロックで体の動きを検出するよ。運動に合わせて検出方法を変えてみてね。パンチや縄跳びなどの激しい運動ならば「6G」あたりにするといいかも。ボタンAで、カウンターがリセットされるよ。

プログラムURL ‥‥‥ http://mbit.fun/2p06

ステップ2

プログラムができたら、シミュレーターで動作を確認しよう。

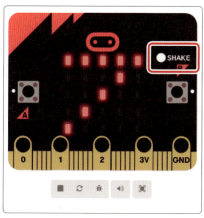

簡単 06　運動カウンター

ステップ 3

シミュレーターで動作が確認できたら、プログラムをmicro:bitにダウンロードしよう（→p.14、p.22）。まずはパンチで試してみよう。

ステップ 4

古靴下でバンドを作って、手足に装着しよう。

1. 工作用にハサミと定規を用意

3. 5センチほどのところに1辺1cmの三角の穴をあける

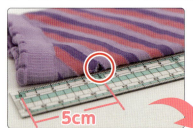

使うのはこの部分

2. ハサミで16cmほどに切る

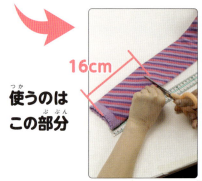

4. micro:bitを入れて靴下を内側に折り込み、穴から見えるようにして完成!

ビットコラム

2桁の数字を同時に表示

　カウンターの数字が2桁になると数字がスクロールするので、読み取りにくくなります。そこで、スクロールなしで2桁の数字を表示できる、WhaleySans Fontを紹介します。

1. 「高度なブロック」をクリックし「拡張機能」をクリック。

2. 「検索または、プロジェクトのURLを入力…」に「font」と入力して検索。

3. 「WhaleySansFont」をクリック。

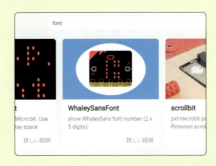

　すると、ツールボックスにWhaleySans Fontが追加されます。

　運動カウンターのプログラムで、回数の表示部分を以下のように変更すると、2桁の数字が同時に表示できるようになります。

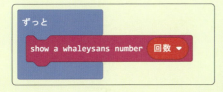
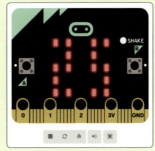

プログラムURL ····· http://mbit.fun/2p06a

簡単 07 テルミン

v1 はスピーカー必要

使う機能 ボタン 明るさセンサー スピーカー

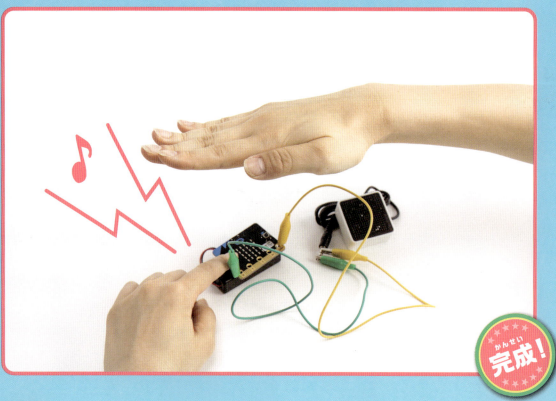

明るさセンサーを使って、テルミンという楽器を作ってみよう!

用意する物

① micro:bit
② スピーカー (micro:bit v1 のみ)
③ 電池ボックス (USBケーブルでも可)

作ってみよう！

ステップ1

「テルミン」は手の位置で音高や音量が変わる楽器なんだ。本物は「静電容量」という値の変化を利用するんだけど、ここでは、明るさセンサーとボタンAを使ってテルミン風の楽器を作ってみるね。

ステップ2

プログラムを作る前に「新しいプロジェクト(→p.27)」にしよう。このプログラムは、ボタンAが押されている間だけ、明るさの値の10倍の音が鳴るようにしているよ。明るさが44のときに、周波数(→p.60)が440Hz（ヘルツ）の「ラ」の音が出るよ。この倍率「10」は部屋の明るさに合わせて調整してみてね。

✥ プログラムURL …… http://mbit.fun/2p07

簡単07 テルミン

ステップ3

プログラムが完成したら、シミュレーターで動作を確認しよう。ボタンAを押している間だけ音が鳴るよ。左上の明るさ（黄色い半円部分）をマウスで上下させると音の高さが変わるかな？

明るさを変更 ―

ボタンAで音が鳴る ―

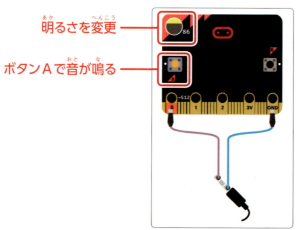

ステップ4

シミュレーターで動作が確認できたら、プログラムをmicro:bitにダウンロードしよう（→p.14、22）。手をかざして遊んでみてね。音が安定しない場合は、懐中電灯の明かりを近づけたり遠ざけたりして演奏すると、比較的安定するよ。

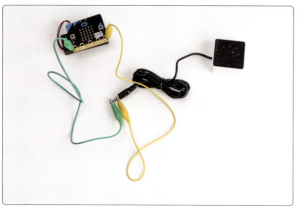

※ micro:bit v2ではスピーカーは不要

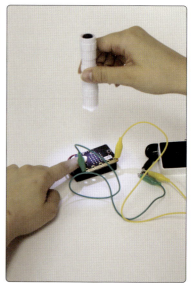

◦─◦ チャレンジ！

明るさによって、「ドレミファソ」の音が鳴るようにしてみるわ。手をかざしていないときにソになって、手をmicro:bitに最も近づけたときにドになるように、40、60、80、100という数字は調整してみてね。

⊕ プログラムURL ‥‥ http://mbit.fun/2p07a

[プログラムブロック画像]

♪ できたら曲をひいてみよう。「ぶんぶんぶん」を弾けるかな？

今回は明るさセンサーで音の高さを変えたけど、加速度センサーや地磁気センサー（方角）で変えるなど、やり方はいっぱいあるの。チャレンジしてみてね。

簡単 08 コンパス

使う機能　LED　地磁気センサー

完成！

方角がわかるように、micro:bitで腕につけるコンパスを作ってみよう!

用意する物

① micro:bit
② 電池ボックス
③ 古靴下
④ ハサミ
⑤ 定規

作ってみよう！

ステップ1

プログラムを作る前に「新しいプロジェクト(→p.27)」にしよう。
地磁気センサーの「方角」ブロックは北が0で南が180になるんだ。一番簡単なプログラムはこれ。
作ってみるとわかるんだけど、数字がスクロールして読みづらいし、表示に時間がかかるのでピッタリ北を知るのが難しいんだ。そこで、素振りカウンター(→p.42)で使った棒グラフに絶対値という技を加えて作ったプログラムがこれ。

絶対値は値がマイナスだったらプラスにするブロックなんだ。方角から180を引いた値の絶対値は、北を向いたときに180、南に向いたときに0になるんだ。下の図を見ながら考えてみよう。ちょっと頭の体操だよ。

⊕ **プログラムURL** ……… http://mbit.fun/2p08

簡単08　コンパス

ステップ2

プログラムが完成したら、シミュレーターで動作を確認しよう。方位のシミュレートは、上部にある 👁 マークをマウスで回転させると、角度が変わるよ。北のときに、LEDが全部点くかな？

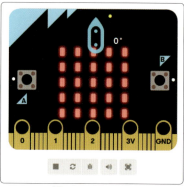
北（0°）のとき

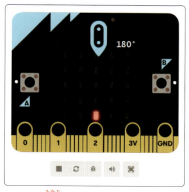
南（180°）のとき

ステップ3

シミュレーターで動作が確認できたら、プログラムをmicro:bitにダウンロードしよう（→p.14、p.22）。地磁気センサーを使っているので、最初に「TILT TO FILL SCREEN」という文字が表示されるけど、驚かずに校正（キャリブレーション）（→p.11）の操作をしよう。

リストバンド（作り方→p.48）で腕につけたら完成だよ。晴れた日の夜、このコンパスを使って北極星を探してみよう！

チャレンジ！

「矢印を表示」ブロックを使って、常に北を指すコンパスを作ってみてね！

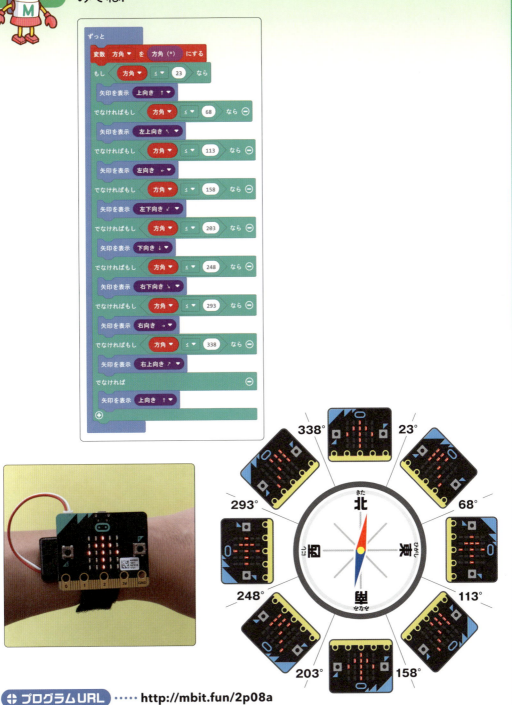

プログラムURL ・・・・・ http://mbit.fun/2p08a

簡単 09

v1 はスピーカー必要

オルゴール

使う機能　　LED　　加速度センサー　　スピーカー

デコれば
できあがり！

完成！

お母さんの誕生日プレゼントに、手作りオルゴールを作ってみよう！micro:bitなら簡単だよ。

用意する物

① micro:bit
② スピーカー（micro:bit v1のみ）
③ 電池ボックス
④ オルゴールの箱（写真は牛乳パック）
⑤ 箱を飾る材料

作ってみよう！

ステップ1

プログラムを作る前に「新しいプロジェクト（→p.27）」にしよう。このプログラムは、フタの角度をmicro:bitで測って、フタが開けられたことを検知するんだ。

```
ずっと
  もし 傾斜（°） ピッチ ▼ > 20 なら
    アイコンを表示 ♥ ▼
    メロディを開始する ハッピーバースデー ▼ くり返し 一度だけ ▼
    一時停止（ミリ秒） 12000
    表示を消す
```

フタの傾斜角度が20°以上になったら、ハートマークを表示して、ハッピバースデーの曲を流すよ。

プログラムURL ‥‥ http://mbit.fun/2p09

ステップ2

プログラムが完成したら、シミュレーターで動作を確認しよう。フタの傾斜角度をシミュレートするには、シミュレーターのmicro:bitの上にマウスを持っていくだけでOK。ハートマークが表示されて、音楽が流れるかな？

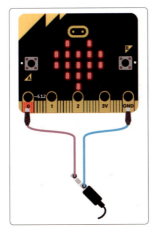

簡単09 オルゴール

ステップ3
シミュレーターで動作が確認できたら、プログラムをmicro:bitにダウンロードしよう（→p.14、p.22）。取り付けるのはどんな箱でもOK。フタを開けたときにmicro:bitの傾きが変わるようにうまく取り付けてね。

micro:bitの位置

開けると20°以上傾斜するように取り付け

お母さんにプレゼントするの、楽しみね♪

ビットコラム

音と周波数

音は空気が振動することにより発生します。1秒間あたりの振動回数を周波数（単位Hz）と呼びます。周波数が高いと音が高くなり、低いと音が低くなります。micro:bitの「音を鳴らす」ブロックは「音階」でも「周波数」でも音の指定ができるようになっていて、鍵盤を押すとその音の周波数が表示されるようになっています。

例えば、真ん中のラは440Hz、上のラは880Hzです。すべての音が1オクターブ上がると周波数は倍の値になることがわかります。

周波数

真ん中のラ

 チャレンジ！

傾きセンサーではなく、明るさセンサーでオルゴールを作ってみるね。LEDが明るさセンサーを兼ねているから、フタを開けたらLEDに光が届くように工夫するといいのね。

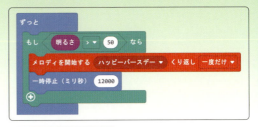

◆ プログラムURL ……
http://mbit.fun/2p09a

また、この作品を作ってみて「フタを閉じたらオルゴールが止まってほしい」って思ったよね？ これを実現するためには
・演奏中にも明るさをチェックできるようにする
・演奏中に再び演奏を開始しないためのしかけを入れる（変数(→p.45)という技を使う）
・暗くなったら演奏を停止する（メロディを停止するブロックを使う）
の3つが必要なの。ちょっと難しいんだけど、こんな感じに改造してみてね。

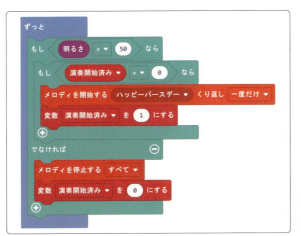

◆ プログラムURL ……
http://mbit.fun/2p09b

61

簡単 10 　冷蔵庫アラーム

v1はスピーカー必要

使う機能　LED　明るさセンサー　スピーカー

冷蔵庫のドアを長く開けていたら警告する、節電に役立つ装置を作ろう!

用意する物

① micro:bit
② スピーカー (micro:bit v1のみ)
③ 電池ボックス

作ってみよう！

ステップ 1

プログラムを作る前に「新しいプロジェクト(→p.27)」にしよう。今回はちょっとプログラムが長いかも。これまでになかった「関数」というのを使っているんだ。「関数」は、「高度なブロック」にあるよ。「関数」を使うことにより、プログラムをシンプルにわかりやすくすることができるんだ。「ずっと」のブロックを見てもらうとわかるんだけど、

・明るさが30より大きかったら関数「ドアが開いている」処理を実行
・明るさが30以下だったら関数「ドアが閉まっている」処理を実行

とシンプルにして、実際の処理は関数の中で行うようにしたのがこのプログラムなんだ。

「関数」を使えばプログラムがスッキリして、一目でパッと流れがわかるね♪

⊕ プログラムURL …… http://mbit.fun/2p10

簡単10　冷蔵庫アラーム

ステップ2

プログラムが完成したら、シミュレーターで動作を確認しよう。
左上の明るさ設定をマウスで上下させて、

・30よりも大きい場合にカウントダウンがスタート
・30以下のときにカウントダウンが停止状態

になるかな？

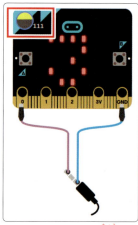
カウントダウン中
ドアが開いている

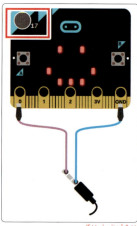
カウントダウン停止状態
ドアが閉まっている

ステップ3

シミュレーターで動作が確認できたら、プログラムをmicro:bitにダウンロードしよう（→p.14、p.22）。実際に冷蔵庫にセットしてみよう！　もし、ドアを開けても反応しない場合は、明るさ判定の30という数字を調整してみてね。

ドアを開けるとカウントダウンが始まって…

警告音が鳴った！

※micro:bit v2ではスピーカーは不要

ビットコラム

数字の「5桁表示」

　p.49のビットコラムでは、拡張機能「WhaleySans Font」を使って2桁の数字をスクロールなしで表示する技を紹介しましたが、3桁以上の数字をスクロールなしで表示させたいケースがあります。そんなときに便利なのが、拡張機能「5桁表示 (fiveDigit)」です。これは、ソロバンの珠のように上一列を五の珠として、一番右の列が一の位、右から2列目が十の位といった形で表示ができます。例えば「173」であれば、以下のような表示になります（ソロバンとは一の珠が積み重なる方向が逆です）。

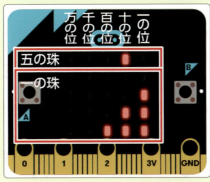

100+(50+20)+3=173

　この拡張機能を使う場合は、p.49のビットコラムと同じ手順で追加を行います。「font」を「mbitfun/pxt-fiveDigit」に変えて検索してください。ツールボックスに「5桁表示」が追加されます。

　あとは「数を表示」ブロックに表示したい値をセットすれば表示されます。
　はじめは数値を読み取りにくいですが、慣れてくると5桁の数字がスクロールして表示されるより、すばやく読み取れるようになります。

※「5桁表示」で表現できる数値の最大は99,999です。それ以上になると「E」と表示されます。

簡単 11　おたまレース

v1 はスピーカー必要

使う機能　LED　加速度センサー　スピーカー

完成！

振動を検知したら音が鳴る装置を作って、友達とおたまレースをやってみよう！

用意する物

① micro:bit
② おたま
③ 電池ボックス
④ スピーカー（micro:bit v1 のみ）

作ってみよう！

ステップ1

まずはmicro:bitがどのように振動を検知するか「各センサーの値を調べてみよう(→p.33)」を参考に調べてみてね。加速度の絶対値が止まっているときと動いた瞬間、どのような値になるか観察してみよう。

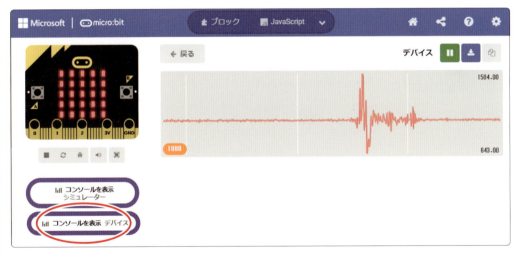

ちょっと動かすだけで、大きく変わるグラフになったかな？
この静止状態でも表示される値は、地球からmicro:bitが受けている重力なんだ。静止状態で受けている重力の大きさを1Gっていうんだけど、micro:bitの場合は、1G＝1023になるようになっているんだよ。
さて、振動を検知したら音を鳴らす装置を作る場合、値がいくつ以上だったら音を鳴らすプログラムにするとちょうどいいか考えてみよう！

簡単11　おたまレース

ステップ 2

プログラムを作る前に「新しいプロジェクト（→p.27）」にしよう。このプログラムでは1125より大きかったら音を鳴らすようにしてみたけど、この数値は、ステップ1で考えた値を元に調整してね。

```
ずっと
  もし 〔加速度 絶対値 ▼〕 > 〔1125〕 なら
    アイコンを表示 ■
    音を鳴らす 高さ（Hz）〔上のラ〕長さ〔1/4 ▼〕拍
    休符（ミリ秒）〔1/4 ▼〕拍
    音を鳴らす 高さ（Hz）〔上のラ〕長さ〔1 ▼〕拍
    一時停止（ミリ秒）〔2000 ▼〕
    表示を消す
```

🔗 プログラムURL ‥‥ http://mbit.fun/2p11

ステップ 3

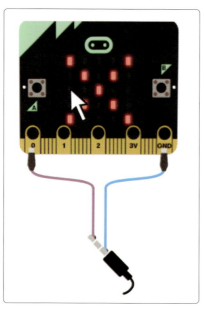

プログラムが完成したら、シミュレーターで動作を確認しよう。シミュレーターの上でマウスのポインターを左右に速く動かすと、シミュレーターのmicro:bitを揺らすことができるよ。揺らすと音が鳴るかな？

ステップ 4
シミュレーターで動作が確認できたら、プログラムをmicro:bitにダウンロードしよう（→p.14、p.22）。ダウンロードをしたら電池ボックスにつなげて、おたまに乗せて歩いてみよう。鳴らさずに歩けるかな？

チャレンジ！

テレビ番組のアトラクションのように、タコ糸を張り巡らせた通路を作って、糸に触るとmicro:bitが揺れるように設置してみよう。糸に触れずに通過できるかな？

簡単 12 公園一周の距離を計測

使う機能: LED / ボタン / 加速度センサー

完成！

あそこの公園って一周何mぐらいあるんだろうね。micro:bitで距離測定装置を作って測ってみよう。

用意する物

1. micro:bit
2. 電池ボックス
3. ビニールテープ
4. 一輪車（自転車でも可）
5. メジャー

作ってみよう！

ステップ1

一輪車のタイヤにmicro:bitを取り付けて、手で押しながら歩くだけで距離が測れる装置を作るよ。「ロゴが上になったとき」「ロゴが下になったとき」ブロックを利用すれば距離が測れるんだ。

タイヤの直径をメジャーで測る

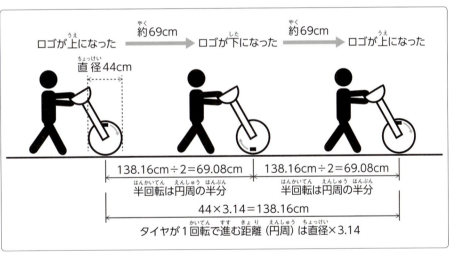

もし、まだ掛け算を習っていない場合は、メジャーでタイヤの外周を測って、半回転で進む距離を調べてもいいよ。

簡単12　公園一周の距離を計測

ステップ2

プログラムを作る前に「新しいプロジェクト(→p.27)」にしよう。リセットボタンを押して、計測スタート。計測終了時にボタンAを押すと、単位はmで距離が表示されるよ。「0.69」という数字は、ステップ1で求めた、半回転の距離(m)を入力してね。

🔹 プログラムURL …… http://mbit.fun/2p12

ステップ3

プログラムが完成したら、プログラムをmicro:bitにダウンロードしよう（→p.14、p.22）。次はmicro:bitを一輪車に取り付けるね。タイヤが回転するときに、micro:bitがぶつからないようにビニールテープでしっかり固定してね。

ステップ4

メジャーで10mの長さを測って、一輪車で計測すると本当に10mと表示されるか検証をしてみよう。

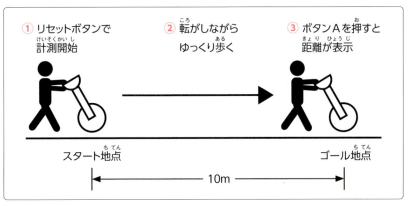

この装置は、しくみ上、半回転程度の誤差は出るんだ。9m～11mの間の表示になれば大成功だよ。もし大きく違う数字が出る場合は、計算を見直してみてね。うまくいったら、公園の一周の距離を測ってみよう！

簡単 13 公園一周の時間を計測

使う機能 : LED / ボタン / 入出力端子

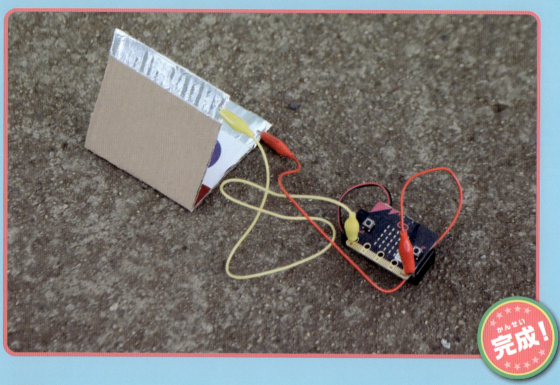

完成！

今度は時間を計測するストップウォッチを作ってみよう。一人でも計測できるように、ダンボールスイッチで、スタートとストップができるようにしてみるよ。

用意する物

1. micro:bit
2. ワニ口クリップケーブル
3. 電池ボックス
4. アルミテープ
   （もしくは、アルミホイル＋両面テープでも可）
5. ダンボール

作ってみよう！

ステップ1

ダンボールスイッチは、ダンボールを2つ折にして、図のようにアルミテープを貼れば完成！ アルミテープがなければアルミホイルを両面テープで貼ってもいいよ。あとは、ワニ口クリップでP0とGNDに接続してね。

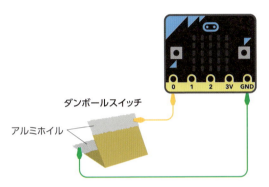

ダンボールスイッチ
アルミホイル

ステップ2

プログラムを作る前に「新しいプロジェクト (→p.27)」にしよう。公園一周の時間を求めるには、ゴールした時間からスタートした時間を引けばわかるよね。このプログラムはダンボールスイッチが踏まれたとき (P0がタッチされたとき) に、変数「スタート時刻」が0だったらスタート、0でなければゴールとして処理をしているんだ。スタートする前には、必ずボタンAを押して変数「スタート時刻」に0をセットしてね。

「マイクロ秒」は百万分の1秒のことね。「秒」にする場合は、百万で割ってね。

⊕ プログラムURL ･･･ http://mbit.fun/2p13

簡単 13　公園一周の時間を計測

ステップ 3

プログラムが完成したら、プログラムをmicro:bitにダウンロードしよう（→p.14、p.22）。電池ボックスを付けて、公園で計測してみよう。走る前にボタンAを押すのを忘れないでね。いいタイムが出るかな？

実際の競技では、光が遮られたのを検知してタイム計測をする装置があるのよ。

😊 チャレンジ！

ボタンBを押すと、これまでの最高記録を表示するようにしてみよう！

● プログラムURL …… http://mbit.fun/2p13a

簡単 14 暗くなると光るサインボード

使う機能　LED　明るさセンサー

明かりを消すと…

完成！

クリスマスの飾りで使える、暗くなると絵が光るサインボードを作ってみよう。アクリル板の横からLEDの光を当てると、表面のキズから光が拡散して浮き出るしくみを利用するんだ。

用意する物

① micro:bit
② 電池ボックス（USBケーブルでも可）
③ アクリル板
④ ルーター（溝を刻むための工具、写真の物はダイソーのミニルーター）
⑤ ダブルクリップ2個

作ってみよう！

ステップ1

プログラムを作る前に「新しいプロジェクト(→p.27)」にしよう。プログラムは簡単なんだ。暗くなったらLEDを1列点灯するだけでOKだよ。

● プログラムURL ⋯⋯ http://mbit.fun/2p14

ステップ2

プログラムが完成したら、シミュレーターで動作を確認しよう。左上の明るさ設定（黄色い半円）をマウスで上下させて、50以下になったら点灯するか確認しよう。

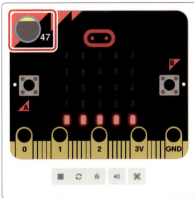

簡単 14　暗くなると光るサインボード

ステップ 3

プログラムをmicro:bitにダウンロード（→p.14、22）しよう。次はアクリル板に浮かび上げたい模様のキズをつけるんだけど、先に、紙に絵を描いておこう。それをアクリル板に重ねて、ルーターでなぞるようにキズをつけるよ。ケガをしないように気をつけてね。

ステップ 4

最後に、ダブルクリップで、ちょうどLEDの位置にアクリル板の側面が来るようなスタンドを作って、完成！

◦◦ チャレンジ！

光ると同時に好きな曲が流れるようにしてみても、いい感じね！
また、洗濯のりと水を1:1の割合で混ぜて、ラメを入れたガラスの瓶の下にmicro:bitをセットすると、暗くなるとキラキラとライトアップされるスノードームが作れるよ。チャレンジしてみてね。

このときのプログラムは、1列だけLEDを点灯させるのではなく、全部点灯させてね。
今回は、micro:bitのLEDで作ったので赤だけだけど「上級29 イルミネーションランタン（→p.138）」で登場するイルミネーションボードを使えば色が変化する作品も作れるよ。

簡単 15 当たり付き貯金箱

v1 はスピーカー必要

使う機能: スピーカー / 入出力端子

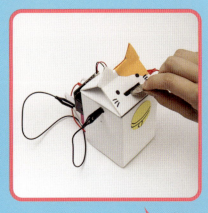

当たりが出ると…

完成！

今回は、ついついお金を貯めたくなる貯金箱を作ってみよう。題して「当たり付き貯金箱」だよ。

用意する物

1. micro:bit
2. スピーカー（micro:bit v1 のみ）
3. ワニ口クリップケーブル
4. 電池ボックス
5. アルミテープ
6. ボール紙
7. 牛乳パック
8. 両面テープ

作ってみよう！

ステップ 1

お金を入れたのを検知する方法はいろいろあるけど、ここでは、100円や50円などの硬貨に電気が流れる性質を利用して、検知するよ。

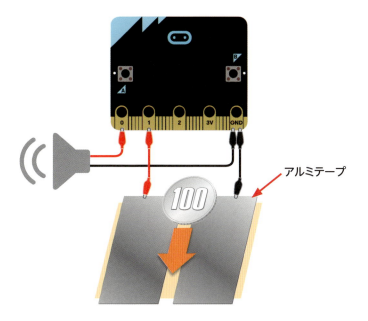

アルミテープ

作りは簡単。貯金箱の穴から硬貨を入れると、アルミテープとアルミテープの間を滑り落ちるようにして、滑っている間は電気が流れるようにすればいいんだ。

簡単15　当たり付き貯金箱

ステップ2

プログラムを作る前に「新しいプロジェクト（→p.27）」にしよう。当たり外れは、相性占いで使った乱数を使うよ。1のときが当たりでパワーアップ音。0のときが外れでパワーダウン音。このあたりは工夫してみてね。

```
ずっと
    もし 端子 P1▼ がタッチされている なら
        もし 0 から 1 までの乱数 =▼ 1 なら
            メロディを開始する パワーアップ▼ くり返し 一度だけ▼
        でなければ
            メロディを開始する パワーダウン▼ くり返し 一度だけ▼
    一時停止（ミリ秒） 1000
```

● プログラムURL …… http://mbit.fun/2p15

ステップ3

プログラムが完成したら、シミュレーターで動作を確認しよう。P1の端子のところをマウスでクリックすると、ランダムに当たり外れの音が鳴るかな？

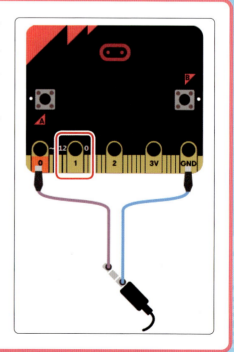

ステップ 4

シミュレーターで動作が確認できたら、プログラムをmicro:bitにダウンロードしよう(→p.14、p.22)。ボール紙や牛乳パックなどを使って、貯金箱を工作してね。

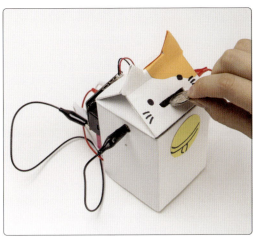
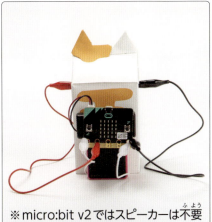

※micro:bit v2ではスピーカーは不要

● ● チャレンジ！

このしくみと、上級30「サーボモーターを制御しよう(→p.142)」を組み合わせると、「お金を入れたら、○○が動く」といった貯金箱や自動販売機が作れるようになるよ。ぜひ、おもしろい貯金箱にチャレンジしてね！

簡単 16 イライラゲーム

v1はスピーカー必要

使う機能　LED　ボタン　スピーカー　入出力端子

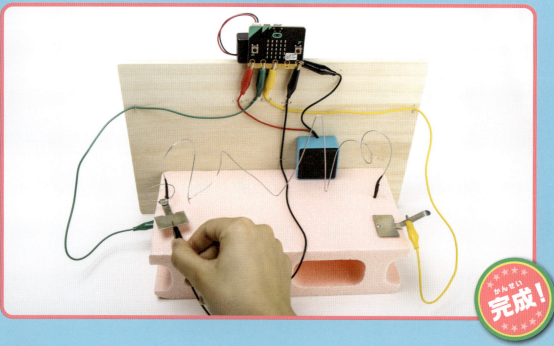

完成！

入出力端子（アナログ入力）を使ったゲームを作ってみよう。「輪っか」のついたコードフックを持って、針金に触れないように通しながら、ゴールを目指すゲームなんだ。

用意する物

① micro:bit
② スピーカー（micro:bit v1のみ）
③ ワニ口クリップケーブル
④ 電池ボックス（USBケーブルでも可）
⑤ ビニールテープ
⑥ 発泡スチロールのブロック（ダンボールでも可）
⑦ 針金（アルミもしくはスチール）
⑧ コードフック（金属製）
⑨ まな板

作ってみよう！

ステップ 1

しくみを説明するね。実際にコースを作るのはステップ4だよ。手に持つコードフックAをGND、触れてはいけない針金をP1、ゴールのコードフックBをP2に接続するんだ。コードフックAがP1に触れるとゲームオーバー、P2にタッチするとゴールするしくみだよ。

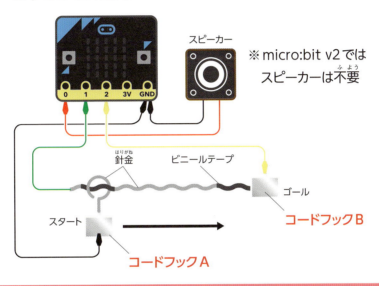

※ micro:bit v2ではスピーカーは不要

ステップ 2

プログラムを作る前に「新しいプロジェクト(→p.27)」にしよう。メロディやアイコンは好きなのにしてみてね。

端子 P1 ▼ が短くタップされたとき
　アイコンを表示 ▼
　メロディを開始する ワワワワー ▼ くり返し 一度だけ ▼

端子 P2 ▼ が短くタップされたとき
　アイコンを表示 ▼
　メロディを開始する パワーアップ ▼ くり返し 一度だけ ▼

⊕ プログラムURL ····· http://mbit.fun/2p16

簡単 16　イライラゲーム

ステップ3

プログラムが完成したら、シミュレーターで動作を確認しよう。P1とP2の端子のところを、マウスでクリックするとタッチしたことになるよ。うまく動くかな？

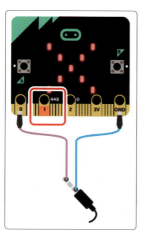
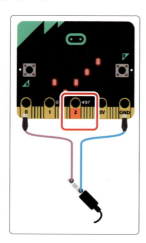

ステップ4

シミュレーターで動作が確認できたら、プログラムをmicro:bitにダウンロードしよう（→p.14、p.22）。ステップ1の図を見ながら、コースを作ろう。写真は100円ショップの発泡スチロールを使ったんだけど、ダンボール等でもいいよ。

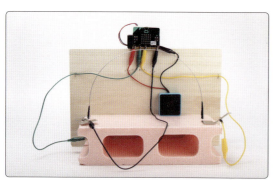

成功！

失敗！

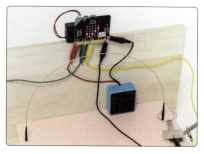

💬 チャレンジ！

スタート前にカウントダウンがあると緊張感が出るよ。チャレンジしよう！

```
端子 P1 ▼ がタッチされたとき
  アイコンを表示 [icon] ▼
  メロディを開始する ワワワワー ▼ くり返し 一度だけ ▼

端子 P2 ▼ がタッチされたとき
  アイコンを表示 [icon] ▼
  メロディを開始する パワーアップ ▼ くり返し 一度だけ ▼

ボタン A ▼ が押されたとき
  変数 カウントダウン ▼ を 3 にする
  くりかえし 3 回
    音を鳴らす 高さ（Hz） 真ん中のラ 長さ 1/4 ▼ 拍
    数を表示 カウントダウン ▼
    一時停止（ミリ秒） 500
    変数 カウントダウン ▼ を -1 だけ増やす
  表示を消す
  音を鳴らす 高さ（Hz） 上のラ 長さ 2 ▼ 拍
```

✦ プログラムURL …… http://mbit.fun/2p16b

応用 17 バランスボード

v1 はスピーカー必要

使う機能　LED　ボタン　加速度センサー　スピーカー

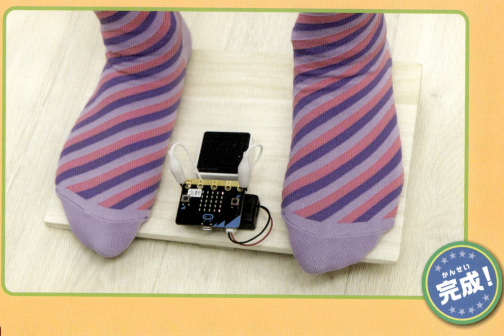

完成！

落ちてくるボールを体を傾けてよける、バランスボードゲームを作ってみよう！

用意する物

① micro:bit
② スピーカー（micro:bit v1のみ）
③ 電池ボックス
④ 木の棒
⑤ 木工用ボンド
⑥ まな板
⑦ 両面テープ

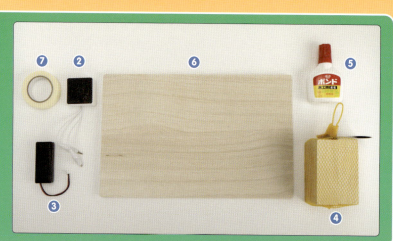

作ってみよう！

ステップ1
今回は、高度なブロックにある「ゲーム」ブロックを使ってみるよ。自分の体と落ちてくるボールを、それぞれ、スプライトとして作成すると、動かしたり接触を検知したりするのが簡単になるんだ。

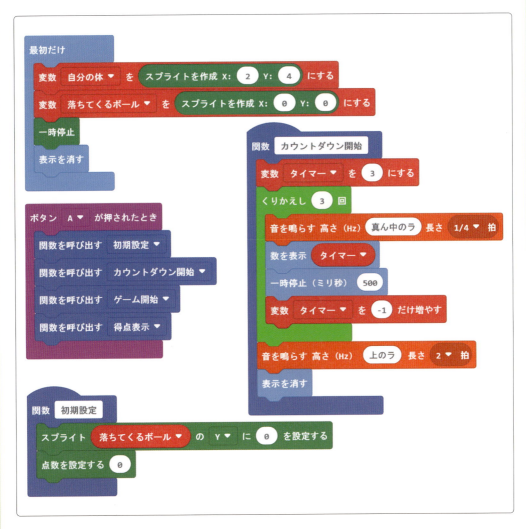

応用17 バランスボード

```
関数 ゲーム開始
再開する
もし <スプライト 落ちてくるボール が他のスプライト 自分の体 にさわっている？> ではない ならくりかえし
  もし <傾斜(°) ロール < 0> なら
    スプライト 自分の体 の X を -1 だけ増やす
  でなければ
    スプライト 自分の体 の X を 1 だけ増やす
  もし <スプライト 落ちてくるボール の Y < 4> なら
    スプライト 落ちてくるボール の Y を 1 だけ増やす
  でなければ
    メロディを開始する ピコーン！ くり返し 一度だけ
    点数を増やす 1
    スプライト 落ちてくるボール の X に 0 から 4 までの乱数 を設定する
    スプライト 落ちてくるボール の Y に 0 を設定する
  一時停止 (ミリ秒) 200
メロディを開始する ワワワワー くり返し 一度だけ
アイコンを表示
一時停止 (ミリ秒) 3000

関数 得点表示
一時停止
文字列を表示 "SCORE"
数を表示 点数
```

> プログラムの技である「座標」についてはあとのビットコラムで解説するね。

プログラムURL …… http://mbit.fun/2p17

ステップ 2

プログラムが完成したら、シミュレーターで動作を確認しよう。ボタンAでゲームスタート。シミュレーターの上で、マウスカーソルを左右に動かすと、micro:bitを傾けることができるよ。落ちてくるボールをよけて、得点を増やそう！

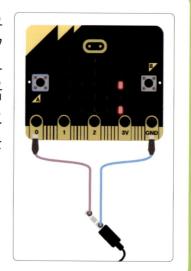

ステップ3

シミュレーターで動作が確認できたら、micro:bitにダウンロードしよう。バランスボードの作り方は、まな板の裏に木の棒を貼り付けるだけでOK。あとは、電池ボックス・micro:bit・スピーカーを、両面テープでまな板の表に貼れば完成だよ。

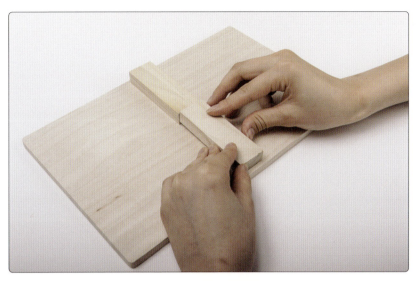

ビットコラム

座標

「高度なブロック」の中にある「スプライト（動かす物）」では、「座標」という技を使っています。micro:bitのLEDは5行×5列で並んでいますが、このLEDのそれぞれの場所を示すのが座標です。

横の位置をX座標、縦の位置をY座標といいます。左上角のLEDは「X座標＝0、Y座標＝0」、右下角のLEDは「X座標＝4、Y座標＝4」となります。

本プログラムでは、自分の体のスタート位置をX座標＝2、Y座標＝4にしています。加速度センサーの傾斜（ロール）の値により、X座標を増減することで、左右へ移動することができます。

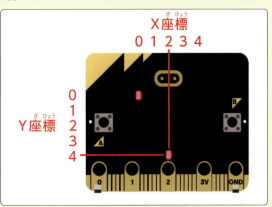

応用 18 もぐら叩きゲーム

使う機能 : LED / ボタン / 入出力端子

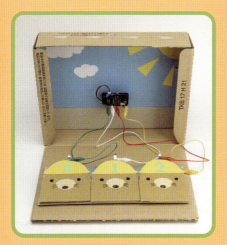

出た数字の
もぐらを叩け！

完成！

ゲームセンターにあるような「もぐら叩きゲーム」を作ってみよう。

用意する物

① micro:bit
② ワニ口クリップケーブル
③ 電池ボックス（USBケーブルでも可）
④ アルミテープ（なければアルミホイル）
⑤ ダンボール
⑥ 両面テープ
⑦ ピコピコハンマー（なくても可）
⑧ コードフック

作ってみよう！

ステップ1
しくみを説明するね。実際にコースを作るのはステップ4だよ。配線は、ハンマーで叩かれるとP0～P2のいずれかがGNDと接触するように、ダンボールとアルミテープで作るんだ。

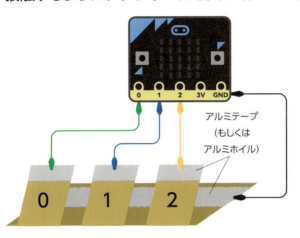

ステップ2
このプログラムを説明するね。ボタンAでスタート。数字が表示されてから消えるまでの間に、その番号のモグラをたたけば得点になるよ。数字が表示されるのは5回。最後に得点が表示されるよ。カタカナ表示用のオレンジ色のブロックを使うには、p.111を参考にして拡張機能を追加してね。

応用 18　もぐら叩きゲーム

● プログラムURL ······ http://mbit.fun/2p18

ステップ 3

プログラムが完成したら、シミュレーターで動作を確認しよう。
端子P0～P2をクリックすればテストができるよ。

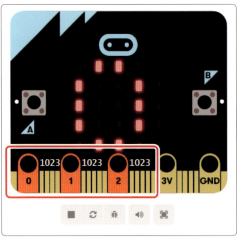

シミュレーターで動作が確認できたら、プログラムをmicro:bitにダウンロードしよう。
ステップ1の図を見ながらモグラたたきを作ってね。

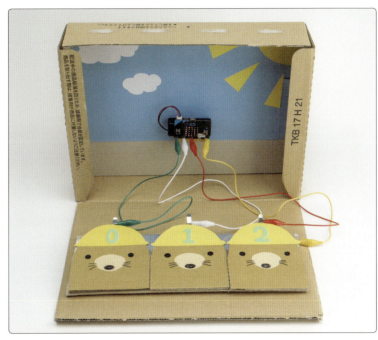

◦◦ チャレンジ！

micro:bitがv2の場合は、叩かれたときに効果音を鳴らすように改造してみてね。
また、これを壁に取り付ければ、ボールの的当てゲームに改造できそうね。micro:bitにボールが当たらないよう、工夫して作ってみてね。

通信 19 ハートのキャッチボール

v1はスピーカー必要

使う機能　LED　加速度センサー　スピーカー　無線

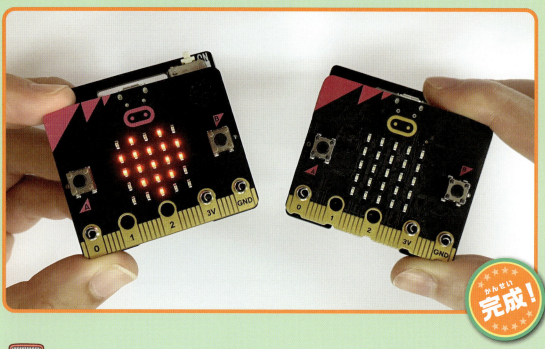

完成！

加速度センサーと無線を使って、ハートをキャッチボールする装置を作るよ！相手にハートが届くかな?

用意する物

① micro:bit 2個
② 電池ボックス2個
③ スピーカー (micro:bit v1のみ)

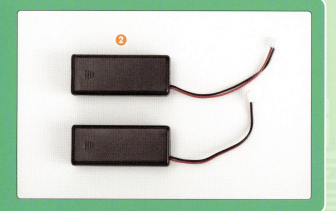

作ってみよう!

ステップ1

このプログラムは、無線機能を使って数値(0)を送受信するんだよ。micro:bitをゆさぶると相手に0を送信。0を受け取ったらハートを表示するんだ。ゆさぶったときにハートを消すと、ハートがお互いを行ったり来たりしているように見えるね。
注意点として、micro:bitの無線機能を使う場合は、通信したいmicro:bit同士で同じグループ番号にする必要があるんだ。「最初だけ」に「無線のグループを設定」を入れるようにしよう!

プログラムURL ····· http://mbit.fun/2p19

通信19　ハートのキャッチボール

ステップ2

プログラムが完成したら、シミュレーターで動作を確認しよう。SHAKEの「●」をクリックすると、ハートが消えて、もう1つmicro:bitが現れハートが表示されるかな？
お互いのSHAKEの「●」をクリックして、キャッチボールしているように見えればOKだよ。

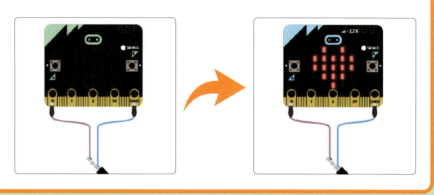

ステップ3

シミュレーターで動作が確認できたら、プログラムをmicro:bitにダウンロードしよう。家族や友達と遊んでみてね。

お互いのハートが届くかな？

🔲 チャレンジ！

「無線」の「その他」にある「無線の送信強度を設定」の値が0（最も弱い電波）の時と7（最も強い電波）の時で、ハートのキャッチボールができる距離を調べてみよう。

`無線の送信強度を設定　7`

ビットコラム

受け取った値を使いたいときの操作方法

例えば「無線で受け取った数字を表示するプログラム」を作る場合は、「無線で受信したとき」の「receivedNumber」を「数を表示」ブロックの「0」の上にドラッグ&ドロップします。

3つのタイプの無線ブロック

無線を送信・受信するブロックは、3つのタイプが用意されています。目的に合わせて使い分ける必要があります。この組み合わせを間違えるとお互いの通信ができません。

● 数値を送受信

● 文字列を送受信

● 名前と数値をセットで送受信

通信 20 防犯装置で侵入者を検知

v1 はスピーカー必要

使う機能: LED / 加速度センサー / スピーカー / 無線

完成！

ドアが開いたら、もう一つのmicro:bitに無線で通知するプログラムを作ろう！

用意する物

① micro:bit 2個
② スピーカー（micro:bit v1のみ）
③ ワニ口クリップケーブル
④ 電池ボックス2個
⑤ 両面テープ

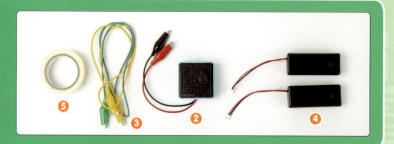

作ってみよう！

ステップ1

どのセンサーを使っても防犯装置は作れるんだ。たとえば、

- **「傾き」を使う**：庭に釣り糸を張って、その先にmicro:bitをぶら下げておいて、ひっかかったら無線で通知。窓や引き戸なら、両面テープで突起物を取り付け、開くとサッシの上枠や引き戸の上枠にぶら下げたmicro:bitを揺らすようにする。または、ドアノブや倒れやすい構造物にmicro:bitを取り付けて、角度が変わったら無線で通知。

- **「明るさ」を使う**：LEDライトなど安定した光源を使い、人が通過すると遮断するように設置したり、ドアや窓が開くと光源が遮断・もしくは遠ざかるように設置。変化があったら無線で通知。

- **「方位」を使う**：開き戸ならドアの開閉で方位が変わるようにmicro:bitを取り付ける。変化があったら無線で通知。

- **「磁気」を使う**：磁石を用意し、ドアや窓の開閉で磁石が遠ざかるように設置。変化があったら無線で通知。

- **「外部入力」を使う**：一般の防犯装置で使われている人感センサーやリードスイッチ（→p.105ビットコラム）、マットスイッチを使う。

今回は傾きセンサーを使って、ドアノブが傾いたら無線で通知してみるよ。

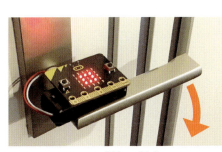

①ドアノブの傾きを検知

②離れた場所にあるもう一つのmicro:bitに無線で通知

③音と光で侵入者があったことを伝える

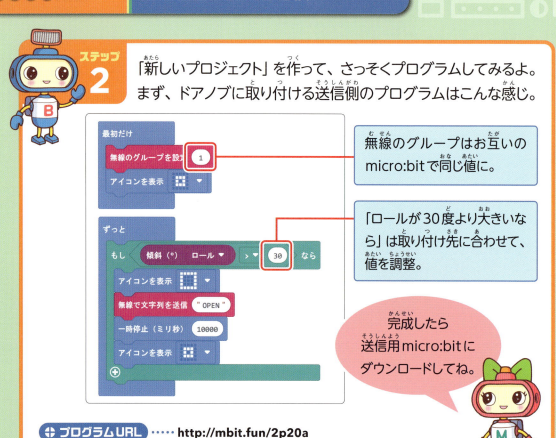

ステップ4

プログラムが完成したら、micro:bitにダウンロードしよう。送信側を両面テープでドアノブに貼り付けて動かしてみよう！無事通知ができるかな？

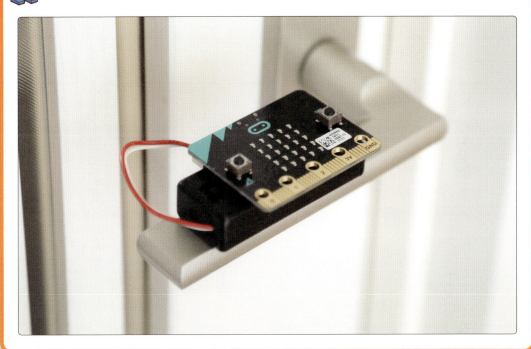

ビットコラム

リードスイッチ

　実際に販売されている防犯装置では、ドアの開閉や窓の開閉検知に、リードスイッチという部品が使われています。リードスイッチは、磁石でオンオフできるスイッチで、磁石が離れるとオフになる構造になっています。価格も300円前後で、秋月電子などで販売しています。もし手に入るのであれば、「端子P0がタッチされなくなったとき」ブロックを使えば、市販品と変わらないワイヤレス防犯装置を簡単に作ることができます。

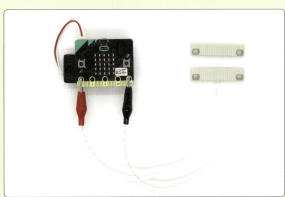

通信 21 モールス通信機を作ろう

v1 はスピーカー必要

使う機能
LED / スピーカー / 無線 / 入出力端子

ダンボール
スイッチを
押すと…

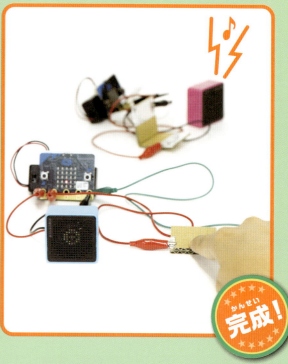

完成！

モールス符号って知っているかな？ 音の長さの組み合わせで、メッセージをやりとりするんだ。2つのmicro:bitを使って、無線でメッセージを送り合える装置を作ろう！

用意する物

① micro:bit 2個
② スピーカー2個（micro:bit v1のみ）
③ ワニ口クリップケーブル
④ 電池ボックス
⑤ ダンボール
⑥ アルミテープ

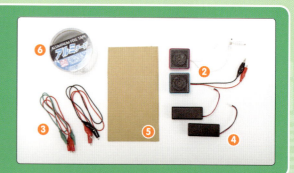

106

作ってみよう！

ステップ1
下の図のように、ダンボールスイッチを作って、配線しよう。スピーカーをP0とGND、段ボールスイッチをP1とGNDにつなぐよ。

※micro:bit v2ではスピーカーは不要

ステップ2
教室とかでみんなで遊ぶ場合は、通信をしたい人同士で「無線のグループを設定」の番号を同じになるようにしてね。

🔗 プログラムURL ····· http://mbit.fun/2p21

通信21　モールス通信機を作ろう

ステップ3

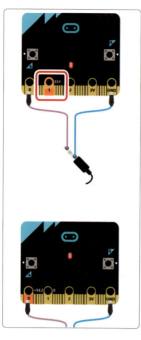

プログラムが完成したら、シミュレーターで動作を確認しよう。
1つのプログラムで送信側も受信側も兼ねているので、シミュレーターで動作確認ができるよ。P1の端子をマウスでクリックすると、ダンボールスイッチ（電鍵）を押したのと同じになるよ。

ステップ4

シミュレーターで動作が確認できたら、プログラムをmicro:bitにダウンロードしよう。モールス符号は国際的に決まっていて、アルファベットは下表の通り。友達とメッセージをがんばってやりとりしてみてね。

文字	符号	文字	符号
A	・−	N	−・
B	−・・・	O	−−−
C	−・−・	P	・−−・
D	−・・	Q	−−・−
E	・	R	・−・
F	・・−・	S	・・・
G	−−・	T	−
H	・・・・	U	・・−
I	・・	V	・・・−
J	・−−−	W	・−−
K	−・−	X	−・・−
L	・−・・	Y	−・−−
M	−−	Z	−−・・

「SOS」を送るなら、「トントントン、ツーツーツー、トントントン」ね!

ビットコラム

IoT（アイ・オー・ティー）って何？

　ここ数年、IoT（アイ・オー・ティー）という言葉が多く聞かれるようになりました。IoTはInternet of Things（インターネット・オブ・シングス）の略で「モノのインターネット」とも呼ばれています。IoTは、身の回りのあらゆるモノ（人体・動植物も含む）をインターネットに接続することにより、もっと私たちの生活を便利にし、新しいことをできるようにしようというイノベーションです。

　micro:bitの無線ブロックはインターネットにこそ接続はしていませんが「センサーの値を元に、相手に無線で通知する」という、IoTの基本動作を簡単に形にすることができます。何と何を組み合わせてどのように通知するかは、全てあなたのアイデア次第です。既成概念にとらわれることなく、micro:bitで楽しいIoT作品を作ってみてください。

　なお、TFabConnectを使うとインターネット経由でmicro:bit同士の通信を行うことができます。上級28（→p.134）で紹介しています。

ビットコラム

2画面エディター（MakeCode Multi Editor）

　無線作品を作るときに便利なのが、2画面エディター（MakeCode Multi Editor）です。2つのMakeCodeを同時に開いて、それぞれ別のプログラムを作り、無線通信のシミュレートを行うことができます。2画面エディターのURLは以下になります。

https://makecode.com/multi

通信 22 早押しクイズボタンで対決

v1 はスピーカー必要

使う機能: LED / ボタン / スピーカー / 無線

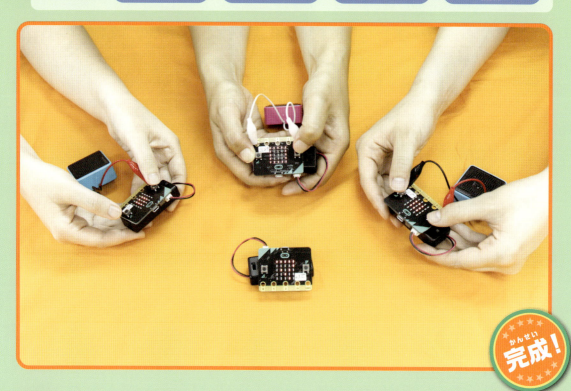

完成！

クイズ番組の早押しボタンを作ってみるね。解答者が手元のmicro:bitのボタンAを押すと、出題者のmicro:bitに、一番早く押した人の名前が出るプログラムだよ。

用意する物

① micro:bit を3個以上（出題者用：1個と、解答者用：解答者の人数分）
② スピーカー（解答者用、micro:bit v1 のみ）
③ micro:bitの数だけの電池ボックス

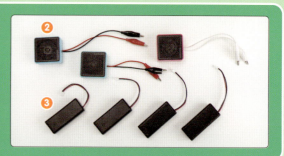

作ってみよう！

ステップ 1

解答者の名前をカタカナで表示するよ。そのためには、カタカナ表示用の拡張機能を追加する必要があるんだ。いつものように新しいプロジェクトを作ったら、まずは以下の手順でカタカナブロックを追加してね。

1
歯車アイコンをクリックして、「拡張機能」を選択

2
「katakana」と入力して拡張機能を検索し、クリックして追加

3
ツールボックスに、カタカナブロックが追加された

通信22　早押しクイズボタンで対決

ステップ2

カタカナブロックの追加ができたら、まず、解答者側（送信側）のプログラムを作るよ。「マイ」の部分は解答者の名前を入力するよ。注意点として、半角カタカナで入力しないと表示されないよ。

プログラムが完成したら、シミュレーターで動作を確認して、プログラムをmicro:bitにダウンロードしよう。

プログラムURL http://mbit.fun/2p22a

ステップ3

次は、出題者側（受信側）のプログラムだよ。カタカナブロックにあるオレンジ色の「文字列を表示」ブロックを使ってね。また、英語の「receivedString」は「受信文字列」という意味なんだ。この変数をそのまま、「文字列を表示」ブロックに渡せば、一番に受け取った回答者の名前が表示されるよ。

プログラムが完成したら、シミュレーターで動作を確認して、プログラムをmicro:bitにダウンロードしよう。

プログラムURL http://mbit.fun/2p22b

ステップ 4

次のイラストのように、一番早くボタンを押した人の名前が出題者側のmicro:bitに表示されるよ。

出題者：先生用

3. 一番始めに届いた解答者名が表示される

2. 解答者名を無線で送信

解答者：ビットくん用

解答者：マイちゃん用

解答者：クロちゃん用

1. 解答者がボタンAを押すと「ピコーン！」と音が鳴り、LEDの四角形が大きくなる

ステップ 5

実際にみんなでやってみよう。次の問題に入るときは毎回、リセットボタンを押してね。

モールス信号のときに作ったダンボールスイッチを使って、解答者用ボタンを作っても面白そうね！

通信 23 宝探しをしよう

v1 はスピーカー必要

使う機能
LED / ボタン / スピーカー / 無線

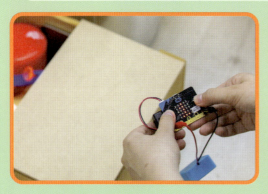
この箱があやしい…

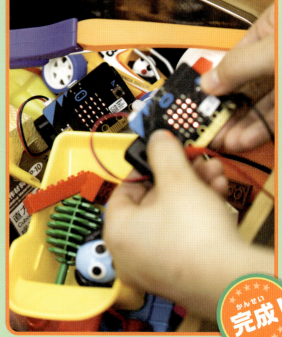
発見！

完成！

隠した micro:bit を探す「宝探し」をしてみよう。手持ちの micro:bit から飛ばす電波に反応するほうへ歩きながら、だんだん電波の強度を弱くして近づいて、隠した micro:bit を早く見つけた人が勝ちだよ！

用意する物

① micro:bit 2個以上
② スピーカー（micro:bit の数分、micro:bit v1 のみ）
③ 電池ボックス（micro:bit の数分）

作ってみよう！

ステップ1

しくみは、こうなんだ。micro:bitには発射する電波の強さを7段階で調整できる「電波強度」というブロックが用意されているんだ。7だと20m以上は飛んで、1だと1mぐらいしか飛ばないんだよ。

お宝側は電波が届けば応答するプログラムにして、探す側は歩きまわりながら、徐々に弱い電波を発射すれば、お宝にたどり着けるよ。

これは、雪山で遭難した人を見つけるときに使うビーコンに似たしくみなんだよ（※ビーコンは受信感度を弱くしていって見つけます）。

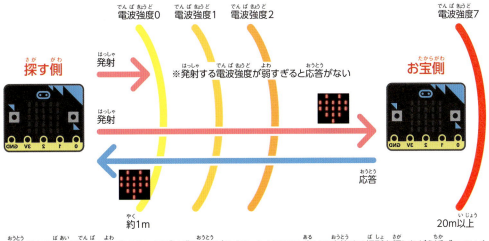

応答がある場合は電波を弱くしていってギリギリ応答がなくなったところで、歩いて応答する場所を探しながら近づいていく
※電波の届く距離は、使用環境や条件によって異なります。

通信23　宝探しをしよう

ステップ2

プログラムを作る前に「新しいプロジェクト」にしよう。探す人側のプログラムを作るよ。

ボタンAで送信強度ダウン、ボタンBで送信強度アップ、ボタンAとボタンB同時押し（A＋B）で、電波を発射だよ。

無事にお宝側に電波が届いたらお宝側は返事の電波を送ってくるので、返事が来たときはハートマークを表示するよ。

このときのポイントとして、電波を発射した人だけにハートが届くようにするため、送る文字列に各micro:bitが持っている固有の名前（ID）を使うよ。完成したら、micro:bitにダウンロードしてね。

⊕ プログラムURL ‥‥‥ http://mbit.fun/2p23a

ステップ3

次にお宝側のプログラムを作るよ。その前に、探す人側のプログラムには名前を付けて保存して、新しいプロジェクトにしよう。

返事は常に、電波強度7で返すよ。ポイントは受信した固有の名前をそのまま返すところだよ。

完成したら、micro:bitにダウンロードしてね。

プログラムURL ····· http://mbit.fun/2p23b

ステップ4

遊び方を説明するね。はじめは送信強度を7で、ボタンAとボタンBを同時押しで発射してみよう。返事があったら、次は送信強度をボタンAでダウンして6で…。ここで返事がなかったら、6で返事が返ってくる場所を歩いて探してみよう。次は5にして発射！ …こんな感じで少しずつ隠し場所に近づいていくんだよ。

🎮 チャレンジ！

教室で大勢でやる場合は2チームに分かれて、相手チームが隠したお宝（受信側micro:bit）を先に見つけた方が勝ちにすると面白いよ。この場合は、各チームとそのチームが見つけるお宝ごとに無線のグループを変えることに注意してね。

通信 24　的に当たったら通知する装置

v1 はスピーカー必要

使う機能
LED　加速度センサー　スピーカー　無線

完成！

的にmicro:bitを仕掛けて、当たったら、別のmicro:bitに通知してくれる装置を作るね。v1の場合はスピーカーをつけてね。

用意する物

① micro:bit 2個
② 電池ボックス2個
③ スチレンボード
④ 両面テープ
⑤ ナーフ本体+弾
⑥ スピーカー（micro:bit v1 のみ）

作ってみよう！

ステップ1

しくみを説明するよ。下の図を見てね。今回は「ロゴが上になった」を使うけど、的の構造にあわせて「ゆさぶられたら」「ロゴが下になった」など、検出方法は工夫してみてね。

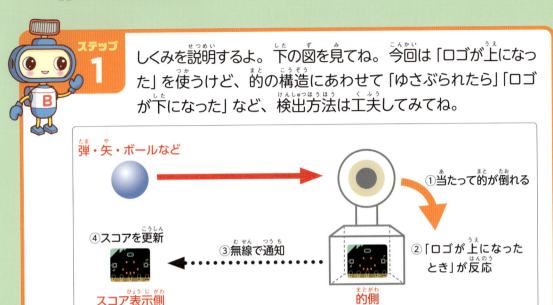

ステップ2

的側のプログラムだよ。

プログラムURL ･･･ http://mbit.fun/2p24a

119

通信24 的に当たったら通知する装置

ステップ3

スコア表示側のプログラムだよ。10回当たったらパワーアップのサウンドが流れるようにしてみたよ。

```
最初だけ
  無線のグループを設定 1
  変数 当たった回数 ▼ を 0 にする

ずっと
  数を表示 当たった回数 ▼
  一時停止（ミリ秒） 200
  表示を消す
  一時停止（ミリ秒） 2000

無線で受信したとき receivedNumber ▼
  変数 当たった回数 ▼ を 1 だけ増やす
  メロディを開始する ピコーン！ ▼ くり返し 一度だけ ▼
  もし 当たった回数 ▼ を 10 で割ったあまり = ▼ 0 なら
    メロディを開始する パワーアップ ▼ くり返し 一度だけ ▼
```

⊕ プログラムURL ····· http://mbit.fun/2p24b

ステップ4

プログラムが完成したら、それぞれをmicro:bitにダウンロードしてね。的に取り付ける際は、micro:bitを壊さないように工夫してみてね。写真ではナーフで撃ったけど、ボール・輪ゴム・吹き矢・おもちゃの弓矢・エアガン・フリスビーなど、何で狙っても面白いね。また、的の作りや検知するセンサーの方法を変えれば、野球のピッチング練習、卓球やテニスのサーブ練習など、さまざまなところで使えるよ。

◉ チャレンジ！

応用18「もぐら叩きゲーム（→p.94）」のダンボールスイッチを参考に、「端子Pxがタッチされたとき」ブロックを使って、通知する装置を作ってみてね。スイッチ（的）の大きさによって、点数を変えてみるのも面白いかもね。

通信 25 雨が降ったら通知してくれる装置

v1 はスピーカー必要

使う機能： LED ・ スピーカー ・ 無線 ・ 入出力端子

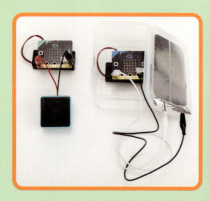

雨を検知すると…

完成！

雨を検知して、別のmicro:bitへ通知してくれる装置を作るね。

用意する物

① micro:bit 2個
② スピーカー（micro:bit v1のみ）
③ ワニ口クリップケーブル
④ 電池ボックス2個
⑤ 保存容器
⑥ アルミテープ
　（もしくはアルミホイル＋両面テープ）

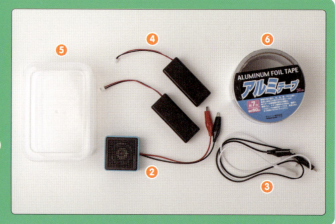

作ってみよう！

ステップ1 しくみを説明するよ。雨がアルミテープの隙間に落ちると、通電して検知ができるよ。

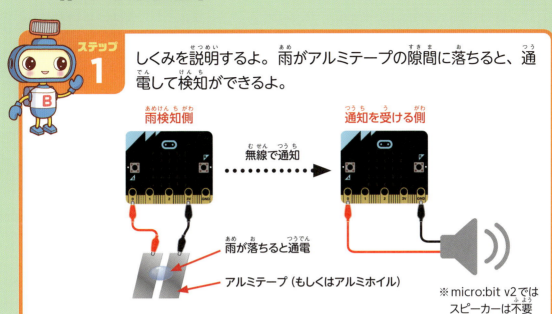

ステップ2 雨を検知する側のプログラムだよ。P0のアナログ値を監視して、雨による通電でアナログ値が上がったらmicro:bitに無線で通知するよ。プログラムが完成したら、micro:bitにダウンロードしよう。

🔷 プログラムURL ····· http://mbit.fun/2p25a

通信25　雨が降ったら通知してくれる装置

ステップ3

通知を受ける側のプログラムだよ。無線で、通知を受け取ったらメロディを鳴らすよ。プログラムが完成したら、micro:bit にダウンロードしよう。

```
最初だけ
  無線のグループを設定 1
  アイコンを表示 [🔲]

無線で受信したとき receivedNumber
  メロディを開始する プレリュード くり返し 一度だけ
  アイコンを表示 [🔲]
```

⊕ プログラムURL ····· http://mbit.fun/2p25b

ステップ4

実際にやってみよう。できるだけ隙間は狭くなるように、アルミテープを貼ってね。降り始めの雨水は不純物が多いので、通電しやすいんだ。もし水道水で反応しないときは、食塩水で動作を確認してね。

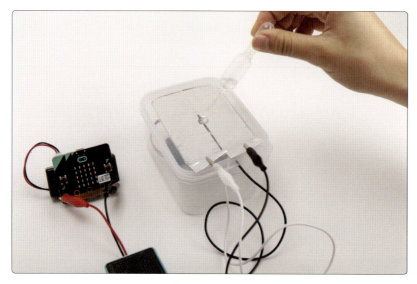

ビットコラム

センサーの値をmicro:bit本体に記録し続ける拡張機能「Data Logger」

micro:bit v2からData Loggerの機能が加わりました。これは、micro:bit本体にセンサーの値を記録し続けることができる機能です。電池ボックスを取り付けたmicro:bitを様々な場所に設置。後日回収して、PCにUSB接続。記録されたセンサーの値の変化をグラフで確認することができます。

● 準備
1. MakeCodeのプログラム作成画面で、右上の歯車をクリックし拡張機能を選択。
2. 「log」で検索するとdataloggerが現れるのでこれをクリック。
3. ツールボックスに「Data Logger」が追加されます。

● プログラム
「1分ごとに温度と明るさを記録し続ける」プログラムは以下の通り。

● 測定
電池ボックスを接続し、温度と明るさを測定したいところに設置し、ボタンA+Bを押して計測を開始します。

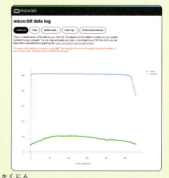

● 記録の確認
USBケーブルでPCに接続します。このとき、ブラウザーでMakeCodeが立ち上がっていないことを確認してください。「MICROBIT」ドライブに「MY_DATA.HTM」というファイルができているのでこれをダブルクリック。記録した値の時間変化を表やグラフで確認することができます。

● 活用例
万歩計、騒音調査、人の往来調査、電車の加速度の変化、夜行性動物の行動観察、海の波の強さの観察、トイレの利用時間帯調査、交通量調査、土中温度変化の調査、池の水温変化の調査、ほか。

通信 26　シューティング対戦ゲーム

v1 はスピーカー必要

使う機能　LED　ボタン　スピーカー　無線

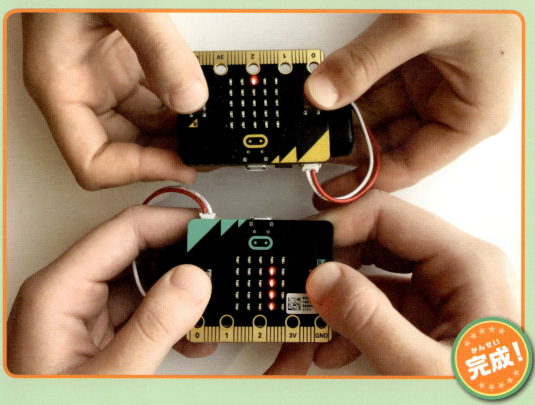

完成！

 micro:bitを2個使って、無線を使った対戦シューティングゲームを作ってみよう。

用意する物

① micro:bit 2個
② 電池ボックス2個
③ スピーカー (micro:bit v1のみ)

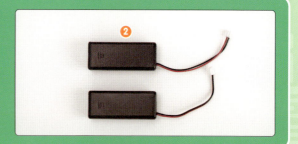

作ってみよう！

ステップ1

ゲームの操作を説明するよ。ボタンA、Bで相手の弾を避けつつ、ボタンA＋Bで攻撃ができるようにするよ。

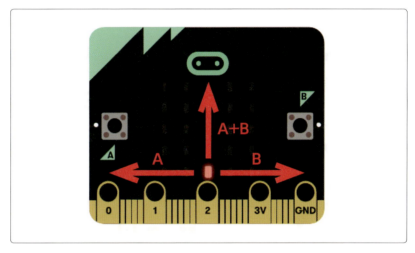

ステップ2

プログラムを作る前に「新しいプロジェクト」にしよう。ちょっとプログラムが長いけど、がんばってブロックを組み立ててね。

通信26 シューティング対戦ゲーム

ボタン A+B ▼ が押されたとき
- 変数 自分弾x ▼ を 自分x ▼ にする
- 変数 自分弾y ▼ を 3 にする
- くりかえし 4 回
  - 点灯 x 自分弾x ▼ y 自分弾y ▼
  - 変数 自分弾y ▼ を -1 だけ増やす
  - 一時停止（ミリ秒）100
- 変数 自分弾y ▼ を 3 にする
- くりかえし 4 回
  - 消灯 x 自分弾x ▼ y 自分弾y ▼
  - 変数 自分弾y ▼ を -1 だけ増やす
  - 一時停止（ミリ秒）100
- 無線で数値を送信 自分弾x ▼

無線で受信したとき receivedNumber ▼
- 変数 相手弾x ▼ を 4 - ▼ receivedNumber ▼ にする
- 変数 相手弾y ▼ を 0 にする
- くりかえし 5 回
  - 点灯 x 相手弾x ▼ y 相手弾y ▼
  - 変数 相手弾y ▼ を 1 だけ増やす
  - 一時停止（ミリ秒）100
- 変数 相手弾y ▼ を 0 にする
- くりかえし 5 回
  - 消灯 x 相手弾x ▼ y 相手弾y ▼
  - 変数 相手弾y ▼ を 1 だけ増やす
  - 一時停止（ミリ秒）100
- もし 相手弾x ▼ = ▼ 自分x ▼ なら
  - LED画面に表示
  - 音を鳴らす 高さ（Hz）真ん中のド 長さ 1/4 ▼ 拍
  - 休符（ミリ秒）1/4 ▼ 拍
  - 音を鳴らす 高さ（Hz）真ん中のド 長さ 1 ▼ 拍
  - 表示を消す
  - 点灯 x 自分x ▼ y 4

プログラムURL ····· http://mbit.fun/2p26

ステップ 3

プログラムができたら、2つのmicro:bitに同じプログラムをダウンロードして、遊んでみよう！
スピーカーがあれば、当たったときに音が出るよ。

◉◉ チャレンジ！

スコアを表示する機能やゲームオーバーを表示する機能をつけたら、もっと楽しくなるね。チャレンジしてみよう。

上級 27 栽培ロボットを作ろう

使う機能　LED　入出力端子

完成！

 土が濡れると電気が流れる性質を使って、土が乾いていることを通知したり、自動的にポンプで水をあげたりする装置を作ってみよう。

用意する物

① micro:bit
② 釘2本
③ ワニ口クリップケーブル4本
④ デジタル制御マイクロポンプ TFW-PP1
　（単3電池2本使用）
⑤ 水を入れるコップ

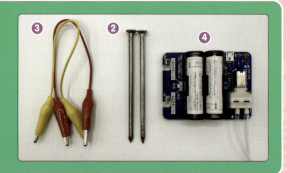

作ってみよう！

ステップ1

まずは、土の状態を調べるしくみを説明するね。実際に、作るのはステップ3だよ。micro:bitのP0と3Vに釘を接続するよ。2本の釘の間を5cm程度離して、土に挿すんだ。釘の間を流れる電気の大きさを調べて、土の状態を判定するしくみなんだよ。

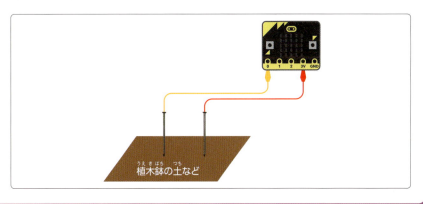

植木鉢の土など

ステップ2

土の状態を判定するしくみは「通信25 雨が降ったら通知してくれる装置」と同じだね。土が乾いたら、カタカナブロック（→p.111）を使って、「オナカガスイター」って表示すると面白いよね。

```
最初だけ
  スクロール時間を設定 200

ずっと
  もし アナログ値を読み取る 端子 P0 ▼ < ▼ 800 なら
    文字列を表示 "オナカガスイター"
  でなければ
    アイコンを表示 [■]
```

⊕ プログラムURL …… http://mbit.fun/2p27a

上級27　栽培ロボットを作ろう

ステップ3

プログラムが完成したら、micro:bitにダウンロードしよう。ステップ1の図を見ながら、釘を接続しよう。まずは、水や土を使わずに動かしてみるね。釘同士を接触させるとスマイルマークが表示されるかな？　うまく動いたら、乾いた土に挿してから、水をかけてみよう。スマイルマークが表示されないときは、プログラムの800という数字を少しずつ小さくしながら試してみよう。

もし釘同士をくっつけて動かない場合は、釘の表面を数回、紙やすりで擦ってみてね。

ステップ4

これだけでも面白いけど、さらにTFW-PP1というポンプを使って、水やりの自動化にチャレンジするよ。

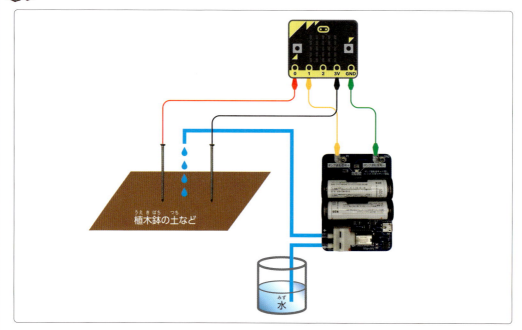

ステップ 5

ポンプは、P1にデジタルで1を出力すると動いて、0だと停止するんだ。

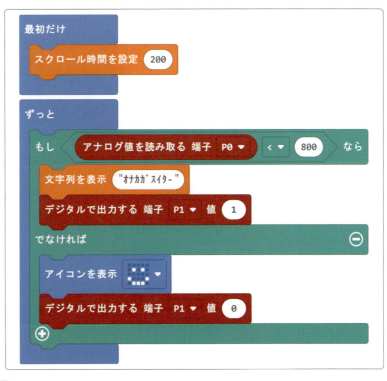

⊕ プログラムURL ····· http://mbit.fun/2p27b

ステップ 6

プログラムが完成したら、micro:bitにダウンロードしよう。動作を確認するときはタオルを用意しておこう。
長期間、実験するときは、植物の水やりについてよく調べてね。植物の種類や季節によって、必要な水の量が異なるよ。

水がmicro:bitやPCにかからないよう注意してね。

上級 28 温度変化などのセンサーデータをグラフにしよう

使う機能 温度センサー 無線

完成！

日差しが強い中、エアコンを切って締め切った車の中って、本当に熱くなって危険だよね…。実際にどのくらいの温度になるか、測って記録する装置を作ってみよう。

用意する物

① micro:bit 2個
② 電池ボックス 1個

作ってみよう！

ステップ 1

micro:bitの無線機能を使って、車の中の温度変化を、家の中のPCでグラフにするよ。

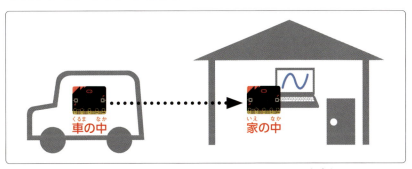

ビットコラム「各センサーの値を調べてみよう(→p.33)」で紹介しているMakeCodeのグラフ機能は、長時間測定の場合、一度ダウンロードしてExcelなどでグラフ化する必要があるから、ちょっと不便なんだ。
こんな時に便利なのが、TFabGraph（ティーファブグラフ）。ソフトのインストールも不要で、ブラウザーだけで長時間のグラフを描くことができるんだよ。

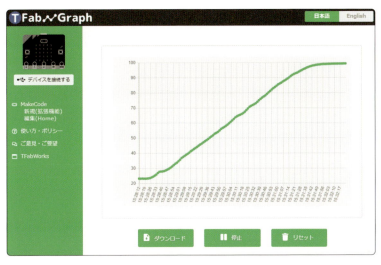

ステップ 2

ブラウザでTFabGraphのホームページ https://graph.tfabworks.com/ にアクセスして、左メニューにある「新規（拡張機能）」をクリック。そして「編集」をクリックし、プログラムを作ろう。

上級28　温度変化などのセンサーデータをグラフにしよう

車の中のmicro:bitは5秒（＝5000ミリ秒）に1回、温度の値を送信し、家の中のmicro:bitは値を受け取ったらグラフを描くブロックに渡すだけで完成。「〜のグラフを描く」ブロックはTFabToolsの中にあるよ。

●車の中のmicro:bit

●家の中のmicro:bit

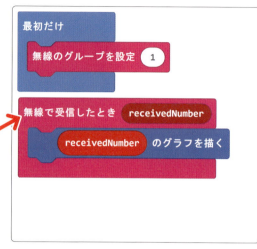

プログラムURL …… http://mbit.fun/2p28a

プログラムURL …… http://mbit.fun/2p28b

ステップ3

プログラムができたらそれぞれダウンロードして、車の中用のmicro:bitは、電池ボックスを取り付けて車の中に置こう。家の中用のmicro:bitは、PCとUSBケーブルで接続してね。準備ができたら、TFabGraphの「デバイスを接続する」でTFabGraphとmicro:bitを接続すれば、グラフの描画がスタートするよ。真夏の炎天下だと何度まで上昇するかな？

😃 チャレンジ！

電車に乗って加速度センサーの変化を観察したり、人感センサーを使って夜行性動物（ハムスターなど）の動きを観察したり、音量センサーを使って1日の街角の音の変化を観察したりなど、様々な観察にチャレンジしてみてね。

ビットコラム

TFabConnect (ティーファブコネクト) でIoT

IoT的な作品を作ろうとすると、通常は、Wi-Fiの接続環境を整える必要があります。学校のようなセキュリティの厳しい環境だと、新たなWi-Fiデバイスを簡単に接続することができません。

TFabConnectは、インターネットに接続済みのPCを踏み台にするため、学校のような厳しい環境でも、大勢でIoT授業を展開することができます。以下は、音量センサーを使い、遠く離れて介護を受けている祖父母の無事を確認し、緊急時にはナースコールボタンにもなる装置の例です。

● ステップ1　見守る側のPCとmicro:bit

1. http://mbit.fun/2p28c をダウンロード。
2. TFabConnect https://beta.tfabconnect.com/ にアクセス。
3. 右上の「ダッシュボード」→利用規約に同意→「一時利用」の順でクリック。

● ステップ2　祖父母側のPCとmicro:bit

1. http://mbit.fun/2p28d のプログラムをダウンロード。
2. TFabConnect https://beta.tfabconnect.com/ にアクセス。
3. 右上の「ダッシュボード」→利用規約に同意→「一時利用」の順でクリック。
4. TFabConnectの左のセレクターで「無名のグループ」を選択し接続ボタン (コンセント) をクリックし、micro:bitとTFabConnectを接続。
5. 左メニューで「メンバー」をクリックし、「メンバー追加」をクリックすると、6桁のトークンが表示。

● ステップ3　見守る側のPCとmicro:bit

1. TFabConnectでグループの「+」ボタンをクリック。
2. 「グループへ参加」をクリックし、6桁のトークンを入力。以上で完成です。

　音量センサーの状況を確認する場合は、見守る側のPCで、TFabConnectにアクセス。クラウド変数の「oto」をクリックすれば何時頃に音がしたかグラフで確認ができます。また、ボタンAが双方向のナースコールボタン代わりになります。祖父母側micro:bitでボタンAを押すと、見守る側のmicro:bit側で音が鳴ります。見守る側でボタンAを押すと、祖父母側には伝わったことを伝える音が鳴ります。

上級 29 イルミネーションランタン

使う機能 　音量センサー　　スピーカー　　入出力端子

完成!

micro:bit用イルミネーションボードを使って、クリスマス・ハロウィン・盆踊り・花火大会・文化祭向けに、見る人を笑顔にする作品を作ってみよう!

用意する物

① micro:bit
② イルミネーションボードTFW-IL1（単3電池2本使用）
③ 水を入れたペットボトル（500ml、凹凸の多い形状の物。または凹凸の多いプラスチックのコップ）

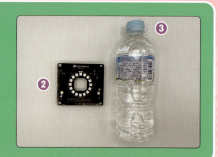

作ってみよう！

ステップ1

イルミネーションボードは、micro:bitと合体して単3電池2本で動く製品だよ。16個のフルカラーLEDがついているから、ペットボトルを上に置いたりして、明かりのアート作品を簡単に作れるんだ。音量センサーと連動した、インタラクティブな楽しいイルミネーションランタンを作ってみるよ。

まず、イルミネーションボードを使うためには、MakeCodeで「neopixel」という拡張機能を追加する必要があるんだ。「高度なブロック」、「拡張機能」の順番でクリック、「neopixel」という機能を探して追加してね。ツールボックスに「Neopixel」というブロックが登場すれば準備はOKだよ。

ステップ2

まずは、基本的な点灯方法。「最初だけ」ブロックの中に、Neopixelにある「変数stripを…にする」を入れて、端子はP1、LEDは16個にしよう。イルミネーションボードを使う場合、これはいつも一緒だよ。
白色に点灯させてみよう。

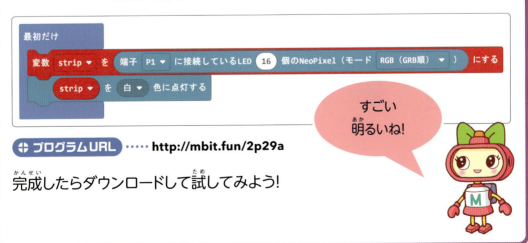

すごい明るいね！

🔗 **プログラムURL** …… http://mbit.fun/2p29a

完成したらダウンロードして試してみよう！

上級29 イルミネーションランタン

ステップ3

今度は、七色の光が回転する作品にアレンジしてみよう。

```
最初だけ
  変数 strip ▼ を 端子 P1 ▼ に接続しているLED 16 個のNeoPixel（モード RGB（GRB順）▼ ） にする
  strip ▼ をレインボーパターン（色相 1 から 360 ）に点灯する

ずっと
  strip ▼ に設定されている色をLED 1 個分ずらす（ひとまわり）
  strip ▼ を設定した色で点灯する
```

⊕ プログラムURL ‥‥ http://mbit.fun/2p29b

動いたら、ペットボトルを上に置いて部屋を暗くしてみよう！

ステップ4

最後はmicro:bit v2専用の作例を試してみよう。音量センサーと連動させてみるよ。大きな音を検知したら、色が変わる作品を作ってみよう。

```
最初だけ
  変数 strip ▼ を 端子 P1 ▼ に接続しているLED 16 個のNeoPixel（モード RGB（GRB順）▼ ） にする
  呼び出し ランダムに色を変更

ずっと
  strip ▼ に設定されている色をLED 1 個分ずらす（ひとまわり）
  strip ▼ を設定した色で点灯する

ずっと
  もし まわりの音の大きさ > ▼ 128 なら
    呼び出し ランダムに色を変更
  でなければもし 加速度 絶対値 ▼ > ▼ 1125 なら ⊖
    呼び出し ランダムに色を変更
  ⊕

関数 ランダムに色を変更 ⌃
  一時停止（ミリ秒） 1000 ▼
  変数 色 ▼ を 1 から 300 までの乱数 にする
  strip ▼ をレインボーパターン（色相 色 から 色 + 60 ）に点灯する
  効果音 ハロー ▼ を鳴らして終わるまで待つ
```

⊕ プログラムURL ‥‥ http://mbit.fun/2p29c

手を叩くと色が変わるかな？

🔘 チャレンジ！

魔法の杖（もう一つmicro:bitを使い、電池ボックスとともに棒に取り付けた物）を振ると、イルミネーションランタンが点灯する作品を作ってみよう！

●魔法の杖側のプログラム

⊕ プログラムURL …… http://mbit.fun/2p29d

●ランタン側のプログラム

⊕ プログラムURL …… http://mbit.fun/2p29e

上級30 サーボモーターを制御しよう

使う機能　ボタン　入出力端子

完成！

回転する角度を指定できる「サーボモーター」の制御にチャレンジしよう。

用意する物

① micro:bit
② ワンタッチサーボコネクトボードセットMB-SET-SB3
（FEETECH FT90B＋ジャンパーワイヤー＋電池ボックスでも可。詳しくはビットコラム）

作ってみよう！

ステップ1

まずは、サーボモーターの動きを確認するプログラムを作ってみよう。
これはボタンAが押されたときに、サーボモーターの角度が90度まで動いて、500ミリ秒たったら元の0度に戻るというプログラムだよ。

🔹 プログラムURL ・・・・・ http://mbit.fun/2p30

ステップ2

「サーボ出力する」のブロックを使うと、シミュレーターにサーボモーターのイラストが登場して、本当に接続したときと同じ動きをするんだ。試しに、ボタンAを押して動作確認をしてみてね。

こうしてみると、サーボモーターは簡単に使えるように見えるんだけど、実は、1つ大きな問題があるんだ。micro:bitの3V端子はサーボモーターを動かすために十分な電気を供給できないんだ。

そこで便利なのが、ワンタッチサーボコネクトボードTFW-SB3。これを使えば電気の問題を気にせずに、サーボモーターを動かすことができるよ。

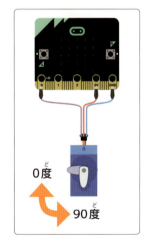

上級30 サーボモーターを制御しよう

ビットコラム

一般の電池ボックスを使って配線をする方法

　サーボコネクトボードセットを使わないで、一般の電池ボックスとマイクロサーボを使って接続する場合は、片側がジャンパーピンになっているミノムシクリップケーブルがあると便利です。以下のように配線を行います。

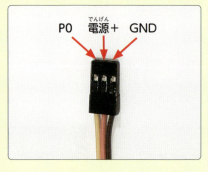

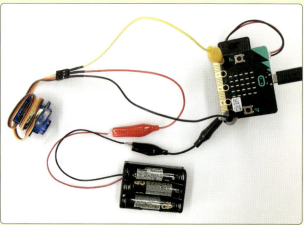

サーボモーターの種類

　今回のサーボコネクトボードセットに含まれるサーボモーターFEETECH FT90Bは、0〜180度まで制御ができるタイプです。この他に、回転速度と回転方向を指定して、連続回転ができるタイプがあり、ロボットや車を作るときによく使われます。

◦•◦ チャレンジ！

サーボモーターを使って、いろんな工作をしてみてね。

●輪ゴム発射装置

サーボモーターを木の棒に取り付けて、輪ゴムをかければできあがり。

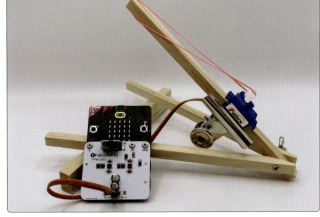

離れた場所から、無線で発射できるようにすると面白いよ。

●自動販売機

牛乳パックに空き缶を入れて、ボタンを押したら落ちるようにすれば、自動販売機に。

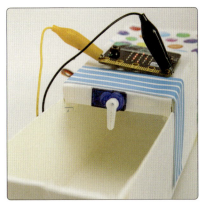

この他に、リモコンのボタン押し機、餌やり機、電動うちわ、メトロノームなど、いろんな物を作ってみよう！

上級 31 Scratch連携：画面の花に水をあげよう

使う機能　加速度センサー　無線

完成！

Scratchの外部コントローラーとしてmicro:bitを使うととっても楽しいよ。

用意する物

① micro:bit
② 電池ボックス
③ PC (bluetooth搭載)
④ ジョウロ

作ってみよう！

ステップ1

Scratchでもmicro:bitは標準サポートされているんだけど、micro:bitの全ての機能が使えなかったり、AIの機能が使えなかったりするんだ。そこで、この本では、

- **Microbit More**：Scratchからmicro:bitの全ての機能をコントロール可能にする（横川耕二さん作）
- **ML2Scratch**：AI技術の一つ、機械学習機能（画像判別）をScratchで実現する（石原淳也さん作）

が一緒に利用できるScratch環境「Stretch3」を使ってみるね。そのためには、3つの作業が必要だよ。

1. Stretch3に拡張機能 Microbit Moreを追加
2. WindowsにScratch Linkをインストール
3. micro:bitにMicrobit More専用プログラムをインストール

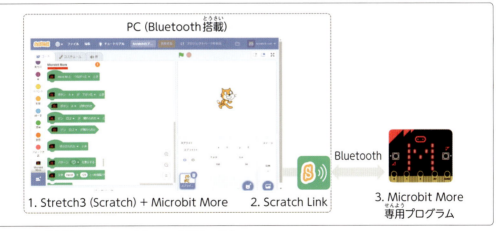

ちょっと面倒だけど、楽しい作品を作るために、がんばってみよう！

ステップ2

まず、Scratch環境「Stretch3」(https://stretch3.github.io/) にアクセスして、拡張機能 Microbit Moreを入れてみよう。画面左下角にある拡張機能ボタンをクリックして、「Microbit More」を選択してね。

147

上級31　Scratch連携：画面の花に水をあげよう

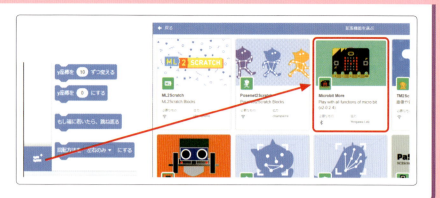

ステップ3

次にWindowsにScratch Linkをインストールするよ。左下のウインドウが表示されたら、「ヘルプ」ボタンを押してね。Micro:bit Moreのホームページが開くので、下部にある「Windows版 Scratch Link」をクリック。しばらくしてブラウザーの下部に「Windows.zip」というファイルが表示されたら、これをクリックだよ。

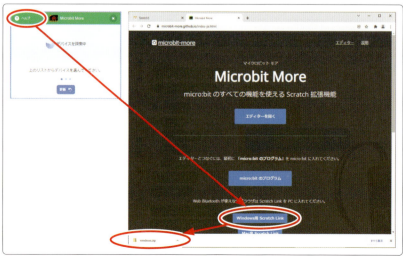

ステップ4

「ScratchLinkSetup.msi」が表示されたら、ダブルクリックしてインストールしてね。インストールの途中で、さまざまな警告や確認画面が現れるよ。もし、表示の意味がわからない場合は、わかる人に聞いてみてね。最後、「Launch Scratch Link」にチェックを入れて「Finish」ボタンをクリックすれば、インストールは完了だよ。正常にインストールできた場合は、WindowsのタスクバーにScratch Linkのアイコンが現れるんだ。もし現れない場合は、p.150のビットコラム「Scratch Linkに接続できなくなった」を参照してね。

ステップ5

最後に、micro:bitにMicrobit More専用プログラムをダウンロードするよ。micro:bitがPCとUSBケーブルで接続されていることを確認した上で、ステップ3の黒い画面に戻って「micro:bitのプログラム」をクリック。しばらくするとブラウザー下部に「microbit-mbit-more…hex」が表示されるので「＾」をクリックし「フォルダを開く」でエクスプローラーを起動。ダウンロードしたファイルをドラッグアンドドロップで、MICROBITドライブにコピーをしてね。

ダウンロードが完了すると、micro:bitに「TILT TO FILL SCREEN」という表示が出るので、p.11のコンパスの校正（キャリブレーション）を行ってね。

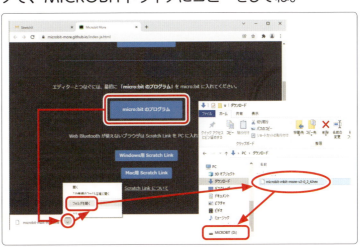

上級31　Scratch連携：画面の花に水をあげよう

ステップ6

これで、準備は完了。Scratchの画面に戻って「もう一度試す」をクリックすると、まわりにあるmicro:bit一覧が表示されるよ。複数ある場合は、自分のmicro:bitのデバイス名（micro:bit本体のLEDでスクロール表示されている文字）を確認して「接続する」を押してね。

micro:bitと接続中　　接続が切れている

無事接続されると「接続されました」と表示されて、micro:bit本体は「M」の文字が表示されるよ。「エディターへ行く」をクリックして、ScratchのMicrobit Moreブロックのインジケーターが緑になっていればOKだよ。
もしこのインジケーターがオレンジのときはmicro:bitとの接続が切れているので、インジケーターをクリックして、再度デバイスの接続にトライしてみてね。

「パターン♡を表示する」ブロックをクリックして、micro:bitに♡が表示されれば成功ね。

ビットコラム

Scratch Linkに接続できなくなった

Scratch Linkをインストールしても起動されない現象が確認されています。CドライブにOSがインストールされているパソコンであれば「C:\Program Files (x86)\Scratch Link」の下にScratchLink.exeがあるので、これをダブルクリックしてください。また、常に自動起動させたい場合は、キーボードでWin+Rを押して「shell:startup」を入力してOKを押します。するとスタートアップフォルダーが開くので、ScratchLink.exeのショートカットをここに置いてください。

タスクバーに隠れているインジケーターにScratch Linkのアイコンがなければ、起動する必要があります

ステップ 7

準備が整ったら、Scratchでプログラムを作っていこう。ここでは、実際のジョウロで、PC画面上の花畑に水やりができる作品を作るよ。まずは、右下のステージから「背景を選ぶ」をクリック。背景の一覧から「Blue Sky」を選んでお花の絵を描こう。

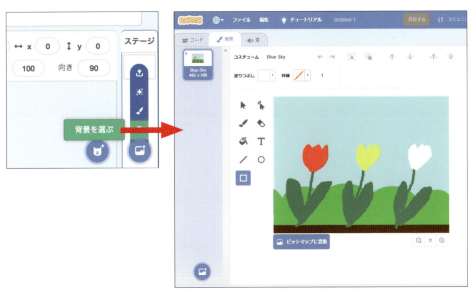

ステップ 8

次に、ジョウロから出る水のスプライトを作ろう。既存のスプライト1は消して、新しく「描く」で、スプライトを追加してね。ペンを水色にして、ジョウロの水を描いてみよう。

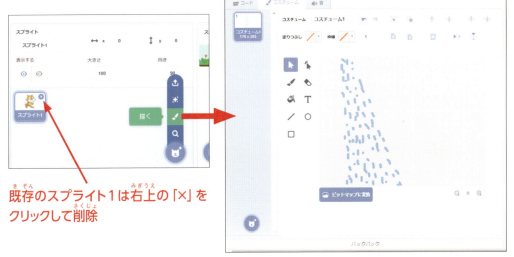

既存のスプライト1は右上の「×」をクリックして削除

上級31 Scratch連携：画面の花に水をあげよう

ステップ9

最後はコードを組み立てよう。micro:bitの傾きに合わせてジョウロの水を表示したり、隠したりできるようにすれば完成だよ。

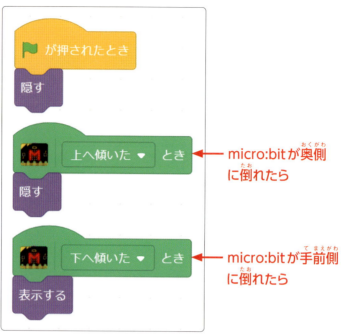

← micro:bitが奥側に倒れたら

← micro:bitが手前側に倒れたら

ステップ10

じゃあ、micro:bitをジョウロの中に入れて、試してみよう。うまく動いたかな？ もし、動かないときは、Microbit Moreブロックの右上のアイコンを確認してみてね。緑なら接続されているんだけど、オレンジ色になっていたら、「！」マークをクリックして再接続をしてね。

152

◉⃝ チャレンジ！

ジョウロの作品のように、現実の世界とコンピューターの世界をつなぐことを「フィジカルコンピューティング」っていうのよ。
例えば、

- 空気入れにmicro:bitを取り付けて、Scratchの世界の風船をふくらませる
- 自転車のペダルにmicro:bitを取り付けて、Scratchの世界の自転車を走らせる
- おもちゃの包丁にmicro:bitを取り付けて、Scratchの世界の野菜を切る
- 炭酸飲料のボトルにmicro:bitを取り付けて、振ってキャップを開ける（キャップのところにP0とGNDに接続したダンボールスイッチを設置し、これを押す）と、Scratchの世界で泡噴出
- ラケットにmicro:bitを取り付けて、Scratchの世界の球を打つ
- かき氷機のハンドルにmicro:bitを取り付けて、Scratchの世界のかき氷を削る

など、もう考えただけでワクワクしてくるよね♪　身のまわりの物にmicro:bitを取り付けて、これまでになかったScratchの世界を楽しんでねー。

上級 32 Scratch連携：AIでゴミの自動分別装置を作ろう

使う機能　無線　入出力端子

完成！

AI（機械学習）を使って、缶とペットボトルの分別装置を作ってみよう。

用意する物

① micro:bit
② PC（Bluetooth搭載）
③ ワンタッチサーボコネクトボードセットMB-SET-SB3（FEETECH FT90B＋ジャンパーワイヤー＋電池ボックスでも可。詳しくはビットコラムp.144）
④ Webカメラ（ノートPCの内蔵カメラでもOK）
⑤ 空のペットボトルと空き缶を複数
⑥ サーボモーターを固定するための工作部材（100均のスチレンボードもしくはダンボール、釘1本、グルーガンもしくは接着剤、カッター）
※それぞれのパーツの詳細は、次ページからの実際の手順でご確認ください。

作ってみよう！

ステップ1

Stretch3（→p.147）を使うと、標準のScratchにはない、ML2Scratch（AIの一つである機械学習）が使えるんだ。これと前の作例31（→p.146）で使ったMicrobit Moreを組み合わせて、ペットボトルか缶かをカメラで自動判別するゴミの分別装置を作ってみよう。

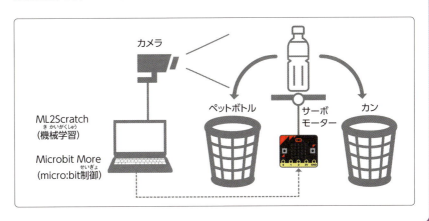

ステップ2

まずは工作。サーボモーターで動くシーソーを作ろう。材料の接着にはグルーガンが便利だよ。

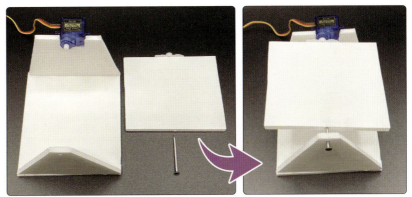

サーボモーター（FT90B）は、0～180度が稼働範囲なんだけど、真ん中の90度のときに水平になるように取り付けてね。完成したら、サーボモーターとワンタッチサーボコネクトボードをmicro:bitと接続しよう。また、外付けのWebカメラも、事前にPCに接続をしておこう。

上級32　Scratch連携：AIでゴミの自動分別装置を作ろう

ステップ3

次にMicrobit Moreの準備だよ。前の作例31（→p.146）と同じように、

1. Stretch3に拡張機能 Microbit More を追加
2. WindowsにScratch Linkをインストール
3. micro:bitにMicrobit More専用プログラムをインストール

を行ってね。すでに、Scratch LinkやMicrobit More専用プログラムがインストール済みならば、2と3は行わなくて大丈夫だよ。

ステップ4

AIは、初めは赤ちゃんと同じで、何も知らないんだ。「これはペットボトル」「これは缶」と何回も教えてあげて、初めて自動判別ができるようになるんだよ。Stretch3の画面左下の機能拡張追加ボタンをクリックし、ML2Scratchを追加してね。

ネコの背景がカメラ映像になればOKだよ。
ここでは、

・ラベル1：何もない状態　　・ラベル2：缶　　・ラベル3：ペットボトル

として学習させるね。学習は何回も行うことで、より精度が上がっていくんだ。できれば30回以上を目指してみよう。学習回数がわかるように、「ラベル1の枚数」「ラベル2の枚数」「ラベル3の枚数」のブロックにチェックを入れておくといいよ。

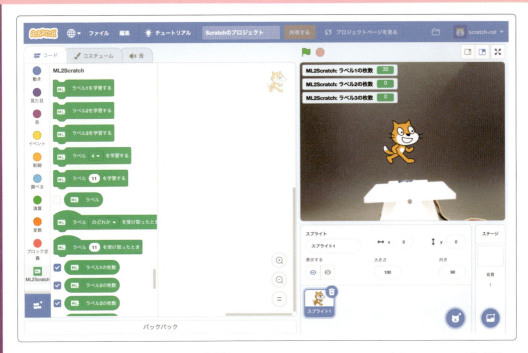

初めは、ラベル1の何もない状態、カメラにシーソーしか写っていない状態で「ラベル1を学習する」をクリックしてね。初めてクリックしたときだけ「最初の学習はしばらく時間がかかるので、何度もクリックしないでください」というダイアログが出るので「OK」をクリック。しばらく待って「ラベル1の枚数」が1になればOK。あとは、何回かクリックして学習をさせてね。

次に、ラベル2の缶。シーソーに缶を置いて、「ラベル2を学習する」をクリック。用意した缶をさまざまな向きにして、クリックしていこう。もし、間違えた場合は、「ラベル〜の学習をリセット」ブロックを2にして、ダブルクリックすれば、ラベル2を忘れてくれるよ。

この調子で、ラベル3のペットボトルも学習させてね。

※シーソーの背景は、無地の壁などにすると認識率が高まります。

上級32　Scratch連携：AIでゴミの自動分別装置を作ろう

ステップ5

では、ちゃんと学習できたか確認するよ。この確認ではサーボモーターはまだ使わずに、Scratchのネコ（スクラッチキャット）に、缶かペットボトルかしゃべらせてみよう。

もし、間違ったことをいう場合は、その場で「ラベル○を学習する」を何度かクリックし、正しいことをいえるように学習させよう。

ステップ6

うまく判別できるようになったら、今度はMicrobit Moreでサーボを制御しよう。

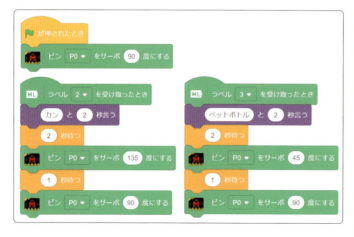

もし、Microbit Moreのインジケーターがオレンジになっていたら、クリックして再接続してね。無事動作するかな？　さまざまな物を学習させて、面白い分別にトライしてみよう！

ビットコラム

iPadのScratchからmicro:bitを制御

2022年1月現在、iPadのScratchでmicro:bitを制御する方法は、2通りあります。

●PYONKEE

Scratch1.4ベースのiPadアプリです。インターネットに接続していなくても楽しめるのが特徴です。micro:bitと接続する場合は、Microbit More同様、micro:bit側に専用プログラムを入れる必要があります。iPadからmicro:bitにプログラムを転送する場合は、iPadアプリ「micro:bit」(→p.24) を使います。使い方はhttps://youtu.be/qy8I5jZGbdkで紹介されています。

🔹 公式サイトURL
https://www.softumeya.com/pyonkee/ja/

●Scrub

PCと同じようにScratch3.0からmicro:bitが利用できます。Scratch3.0を利用する場合は設定のカスタムURLにhttps://stretch3.github.io/ をセットします。

🔹 ダウンロード
https://apps.apple.com/us/app/scrub-web-browser/id1569777095

● 著者紹介

高松基広（たかまつ もとひろ）

CoderDojoつくば・守谷Champion。ハンドル名@asondemita。2017年micro:bit財団のコンテストで入賞。2018年イギリスBett Showで入賞作品展示。株式会社ティーファブワークス代表。東京書籍中学技術家庭教科書執筆。各地で自治体研修・校内研修講師。

● カバーデザイン・イラスト	嶋健夫（トップスタジオデザイン室）
● 本文デザイン	徳田久美（トップスタジオデザイン室）
● 本文イラスト	前野コトブキ
● DTP	株式会社トップスタジオ
● 写真撮影	川嶋隆義・寒竹孝子（スタジオ・ポーキュパイン）、高松基広
● 編集協力	泉保宗也（サヌキテックネット）

[v2対応] 改訂新版
micro:bitであそぼう!
たのしい電子工作&プログラミング

2018年12月15日　初版　　第1刷発行
2022年 2月22日　第2版　第1刷発行

著　者　高松 基広
発行者　片岡 巌
発行所　株式会社技術評論社
　　　　東京都新宿区市谷左内町21-13
　　　　電話　03-3513-6150　販売促進部
　　　　　　　03-3267-2270　書籍編集部
印刷／製本　株式会社 加藤文明社

定価はカバーに表示してあります。

本書の一部または全部を著作権法の定める範囲を超え、無断で複写、複製、転載、テープ化、ファイルに落とすことを禁じます。

© 2022　高松基広

造本には細心の注意を払っておりますが、万一、乱丁（ページの乱れ）や落丁（ページの抜け）がございましたら、小社販売促進部までお送りください。送料小社負担にてお取り替えいたします。

ISBN978-4-297-12667-4 C3055
Printed in Japan

本書へのご意見、ご感想は、技術評論社ホームページ（https://gihyo.jp/）または以下の宛先へ、書面にてお受けしております。電話でのお問い合わせにはお答えいたしかねますので、あらかじめご了承ください。

〒162-0846
東京都新宿区市谷左内町21-13
株式会社技術評論社　書籍編集部
改訂新版『micro:bitであそぼう!』係
FAX：03-3267-2271